La dieta de las princesas chinas

Cómo adelgazar sin esfuerzo
y de manera definitiva

ARTHUR ROWSHAN

La dieta
de las
princesas chinas

Cómo adelgazar sin esfuerzo
y de manera definitiva

www.edaf.net

MADRID - MÉXICO - BUENOS AIRES - SAN JUAN - SANTIAGO - MIAMI
2011

© 2011. Arthur Rowshan
© 2011. De esta edición, Editorial EDAF, S. L. U. Jorge Juan, 68. 28009 Madrid
© Diseño de cubierta: Marta Villarín

Editorial Edaf, S. L. U.
Jorge Juan, 68. 28009 Madrid
http://www.edaf.net
edaf@edaf.net

Ediciones-Distribuciones Antonio Fossati, S. A. de C. V.
Cerrada General Cándido Aguilar, 2; Col. San Andrés Atoto
Naucalpan Edo. de México - C. P. 53500 México D. F.
Tfno. sin coste: 01(800)5573733
edadmexicoclien@yahoo.com.mx
edafmexicoadmon@yahoo.com.mx

Edaf del Plata, S. A.
Chile, 2222
1227 Buenos Aires (Argentina)
edafdelplata@edaf.net

Edaf Antillas, Inc.
Av. J. T. Piñero, 1594 - Caparra Terrace (00921-1413)
San Juan, Puerto Rico
edafantillas@edaf.net

Edaf Antillas
247 S. E. First Street
Miami, FL 33131
edafantillas@edaf.net

Edaf Chile, S. A.
Coyancura, 2270, oficina 914. Providencia
Santiago, Chile
edafchile@edaf.net

Junio de 2011

ISBN: 978-84-414-2803-4
Depósito legal: M-22460-2011

PRINTED IN SPAIN   IMPRESO EN ESPAÑA

Gráficas Cofas, S.A. -Pol. Ind. Prado de Regordoño- Móstoles (Madrid)

Índice

1

La princesa Meifen

La princesa Meifen se apresuró tambaleándose hacia la cocina. Su respiración estaba acelerada, las rodillas doloridas y sus ojos llenos de lágrimas. La noche anterior había jurado solemnemente que ya no iba a tomar dulces. Había prometido que esta vez iba a hacer caso al médico de la corte y comer sano. Al despertarse esa mañana había desayunado solo frutas exóticas y se había portado bien todo el día. Pero ahora sufría los pinchazos de un hambre terrible.

En la enésima noche en la que se encontraba de camino a la cocina imperial. Otra vez había perdido la batalla contra las tentaciones. Nuevamente le había fallado la fuerza de voluntad. Caminaba como una endemoniada con una ansia terrible de comer algo dulce. Al entrar en la cocina se abalanzó sobre unos pasteles y los engulló en cuestión de pocos minutos. Sintió una sensación sedante y placentera. El sabor dulce en el paladar dibujó una amplia sonrisa en su cara. Al salir vio su reflejo en un espejo y se dio cuenta de que había caído de nuevo en la tentación. Avergonzada de sí misma, se echó a llorar.

El reino de Chu

El emperador Han Wudi tenía tres hijas. Según las tradiciones, se llamaban por orden de nacimiento: Primera Princesa, Segunda

Princesa y Tercera Princesa. La Emperatriz Madre había asignado un nombre especial a la última: Meifen, que significaba «fragancia de ciruela». La Emperatriz había elegido este nombre por dos razones: en primer lugar, la ciruela representaba buena suerte y prosperidad. Además, la salsa de ciruela era su sabor favorito; se la pedía a los cocineros cuando estaba embarazada de Meifen.

Meifen era la más bella entre sus hermanas y, si no fuera por su gordura, hubiese sido considerada como la princesa más hermosa de todo el reino. Lo que entristecía los corazones del Emperador y la Emperatriz era el problema de peso de su hija menor.

Como exigía la tradición, todas las princesas tenían que desposarse con los príncipes de los reinos vecinos. Según los usos y costumbres del reino, las princesas que quisieran casarse debían pasar unas pruebas de habilidad para demostrar su destreza y agilidad ante el pueblo.

La última vez, hace tres años, la gente se burló de Meifen debido a su patosa actuación. La princesa parecía una bola de grasa que se esforzaba sin ningún éxito. El Emperador estaba desesperado. Ni siquiera el respeto que infundía a sus súbditos pudo inhibir sus risas.

La tradición era sagrada. ¿Quién osaría cambiar las condiciones de casamiento de las princesas del reino?

A menudo, el tema de la conversación entre el Emperador y la Emperatriz era la obesidad de Meifen.

—Aún tengo presente la vergüenza de mi pobre hija —dijo la Emperatriz con un suspiro triste.

—Recuerdo perfectamente cómo Meifen se afanaba para saltar esos obstáculos —contestó el Emperador.

—Lo peor era la risa de los príncipes invitados.

—Tenemos que tener fe en el nuevo médico de la corte.

—Aunque Meifen no parece hacerle demasiado caso.

El dilema

Como si el problema de Meifen no fuera poco, además, se había creado una situación incómoda. Algunos de los príncipes invitados a la ceremonia sentían lástima mientras que otros mostraban indiferencia. Pero nadie se atrevía a pedir la mano de la princesa gorda. Todos consideraban a Meifen obesa y llorona. Ningún príncipe, en su sano juicio, querría pasar el resto de sus días con ella. Aunque había príncipes que consideraban la posibilidad del matrimonio, ninguno se atrevía a pedir su mano por el temor a que los demás viesen este acto como una estratagema para pertenecer a la familia de uno de los emperadores más poderoso de todos los tiempos.

El monarca, con todo su poder e inteligencia, no sabía cómo resolver el problema de su hija. Los médicos del reino habían intentado ayudar a la princesa sin éxito y todos habían fracasado estrepitosamente. Los especialistas coincidían en que la princesa era débil de voluntad y no podía seguir los regímenes. Ella empezaba cada dieta con ilusión y obedecía las órdenes de los médicos, adelgazaba unos kilos, pero al cabo de unas semanas volvía a coger peso y a recaer en sus habituales costumbres malsanas.

La fama de la princesa Meifen había llegado a los reinos más remotos. Varios médicos de tierras lejanas se habían ofrecido a venir al reino de Chu para tratar a la princesa. El Emperador prometió recompensas generosas a quien pudiera aliviar el mal de su hija. De hecho, estaba prevista la llegada de uno de los médicos más famosos de todo el imperio.

2

Julia Rivas

Julia Rivas inspeccionó su cara en el espejo del ascensor. Mojó la yema de su dedo índice y curvó hacia arriba sus largas pestañas. A sus treinta y ocho años era una mujer bella y carismática. Llevaba un vestido beis con un fular de color azul. Su conjunto acentuaba su esbelta silueta. La puerta del ascensor se abrió y Julia se apresuró hacia su escritorio.

—Buenos días a todos.

Julia saludó a los colegas de redacción con su habitual energía contagiosa. Dejó caer su bolso a un lado y encendió su ordenador.

Estaba tecleando su contraseña cuando apareció Josep Casanovas con una taza de café humeante en una bandeja.

—¡Oh! ¡Oh! —exclamó Julia.

—¿Desde cuándo saludas a tu jefe con un «¡Oh! ¡Oh!»?

—Es que después de quince años te conozco bien, Josep.

—Buenos días —dijo Josep colocando la taza del café en el escritorio de Julia.

—Buenos días —contestó ella.

—Así suena mejor.

—¡Ve al grano, Josep! ¿Qué tengo que hacer? ¿Debo quedarme hasta tarde? ¿Alguna conferencia de prensa urgente?

—¿Un jefe no puede servir una taza de café a su periodista favorita?

—Déjalo antes que te crezca la nariz, Josep.

—Necesito un reportaje sobre cómo adelgazar para la próxima semana —dijo Josep con una sonrisa malévola.

—Por fin lo has soltado. ¿Por qué no se lo pides a Montse? A ella le encantan estos temas de salud.

—No quiero un artículo que puede escribir cualquiera. Necesito tu toque mágico. Ya sabes, firmado por Julia Rivas, la mejor.

—Deja de hacerme la pelota —respondió Julia tomando un sorbo de la taza. Julia apreció el aroma del café arábigo con un toque de cardamomo. Josep conocía su debilidad.

—Quiero que escribas algo novedoso y rompedor.

—Vale, lo haré. ¿Y cuándo hablamos de un aumento de sueldo?

—No oigo nada —dijo Josep, alejándose deprisa.

Julia le arrojó la bolsita de azúcar.

Ella era una periodista de raza. Metódica, precisa y muy organizada. Pertenecía a una familia que habían ejercido de periodistas y escritores durante varias generaciones. Su abuela, Agnes, había roto moldes dedicándose al periodismo en una época en la que aún las mujeres no tenían derecho al voto.

La madre de Julia, afamada novelista, decía que la rebeldía de la abuela Agnes había contagiado a Julia.

Su estilo de periodismo era riguroso y tenaz. Nunca se limitaba a las opiniones de los expertos habituales. Siempre consultaba a una variedad de especialistas para añadir en sus artículos una visión distinta al tema.

En el instante en que aceptó la tarea de escribir un reportaje sobre las dietas empezó una búsqueda mental de los contactos que tenía. Josep le había dado solo siete días para escribirlo. Así que hizo una esquema de la estructura del articulo y llamó a su amigo Carlos, profesor en la facultad de Medicina de una de las universidades más prestigiosas del país. Carlos le habló de un tal Víctor Font, un prestigioso cardiólogo que estaba en la ciudad para participar en un Congreso Internacional de Cardiología y que, además, estaba promocionando su libro, *Por el amor a tu corazón*. Julia le agradeció la información y colgó el teléfono.

El congreso iba a durar toda una semana, así que decidió llamar primero a su mejor amiga, Ana. Antes de buscar la opinión de los expertos quiso charlar con una típica mujer que está luchando contra la báscula. Ana siempre se quejaba de su peso y estaba a dieta prácticamente todo el año.

La llamó y quedó con ella en una cafetería para charlar sobre su nuevo reportaje.

3

La dieta de Tao Hung-Ching

Ese día estaba prevista la llegada de uno de los más destacados discípulos del legendario Tao Hung-Ching. La historia le atribuía numerosas curaciones extraordinarias, y este había enseñado su arte solo a un grupo reducido de médicos.

Todo el reino de Chu esperaba con ansia a uno de sus más célebres seguidores, al cual se le consideraba como el mejor especialistas en enfermedades alimentarias.

Era casi mediodía cuando el médico y sus ayudantes llegaron al palacio imperial. El Emperador había dado la orden de hacerlos pasar a su presencia inmediatamente.

—Soy discípulo del célebre médico Tao Hung-Ching. He ejercido en numerosas cortes reales. He prescrito dietas a todas las princesas y príncipes, incluido al Emperador del reino de Zao.

—Tu experiencia me impresiona y he oído hablar de tu competencia médica. Si logras curar de su gordura a la princesa Meifen, serás recompensado generosamente. Pero te advierto de que el problema de la princesa es grave. Lo han intentado muchos médicos que se han esforzado en vano. La dejo en tus manos. Pero ahora descansa de tu largo viaje —dijo el Emperador.

—Si me lo permite, me gustaría empezar inmediatamente.

—Puedes comenzar hoy. La princesa no tardará en llegar de su habitual paseo por el bosque.

La princesa estaba en el bosque cerca de una fuente de agua. Según petición propia, habían edificado un lugar de descanso para los viajeros y caminantes que pasaban por la zona. Ella estaba recogiendo flores cuando apareció un guardia anunciando que el nuevo médico había llegado y deseaba empezar el tratamiento. La princesa guardó las flores y las plantas que había recogido en una cesta, montó en su caballo y se dirigió a la ciudad.

—Estimado médico, bienvenido a nuestra tierra —saludó Meifen.

—Soy discípulo de...

—Ya conozco tu reputación. Dime, ¿puedes ayudarme a perder peso? ¿Crees que seré capaz de controlarme?

—Princesa, os aseguro que con un poco de fuerza de voluntad podréis seguir mi dieta sana y equilibrada.

—Pero la fuerza de voluntad me falla. Intento comer sano, pero la tentación es mayor. No sé qué hacer.

—Permitidme que antes de poder daros una dieta personalizada haga mi diagnóstico.

El médico empezó a examinar detenidamente a su paciente obesa. Después de varias horas de examinar el iris, la lengua y realizar 750 preguntas clave que había aprendido de su maestro, el médico explicó el secreto de la salud:

—Permitidme que empiece por el origen de todas las cosas: el Yin y el Yang. Todos los fenómenos tienen su propio opuesto que lo complementa. El Yin representa el frío, la noche y lo femenino, mientras que el Yang simboliza el calor, el día y lo masculino.

—Todos los fenómenos poseen aspectos del Yin y del Yang. Un exceso de Yin puede transformarse en Yang, y viceversa. Por lo tanto, cualquier desequilibrio entre el Yin y el Yang dentro del organismo provoca enfermedades.

—He oído hablar de este principio. ¿Cuáles son los alimentos que corresponden a cada uno?

—Los alimentos Yang son cálidos y secos, mientras que los alimentos Yin son fríos y con mayor contenido de agua.

El médico determinó entonces que la dieta que la princesa necesitaba consistía en cereales, verduras, legumbres, algo de fruta y sopa de pescado.

—Pero a mí no me gusta la sopa de pescado.

—Para curar vuestra obesidad debéis comer sano.

—Y los pasteles, ¿puedo comerlos?

—Según el diagnóstico de su iris, los dulces serían peor que el veneno de una culebra. No debéis comerlos en absoluto. Como médico debo prohibiros tomar cualquier cosa con azúcar.

—De acuerdo, me esforzaré en seguir tu dieta.

Durante un mes la princesa intentó seguir lo prescrito por el médico, pero la tentación era fuerte. A menudo robaba dulces y se los comía a escondidas, de forma que no adelgazó. Entretanto se le había explicado al Emperador que sería imposible no adelgazar con el régimen estricto que había puesto a la princesa.

Durante una de las revisiones médicas, el discípulo de Tao Hung-Ching detectó los efectos de los azúcares en el iris de la princesa.

—¡No puede ser! ¡La princesa ha comido dulces!

La princesa lo negó.

—Pero el iris no miente. La princesa ha comido dulces. Ya os he explicado que este alimento es veneno. Sois joven y tenéis una larga vida delante. Además, queréis adelgazar porque estáis harta del agotamiento físico y las burlas de la gente. Un poco de fuerza de voluntad os ayudará a seguir la dieta.

La princesa lo miró indignada.
El médico se presentó ante el Emperador.

—La princesa no está colaborando. He realizado un diagnótico exhaustivo. He elaborado una dieta para ella y le he advertido acerca de los peligros de los dulces. Ella me dice que ha seguido la dieta, pero el examen de su iris me demuestra, sin ninguna duda, que está comiendo pasteles.

—¿Qué sugiere? —le preguntó el Emperador.

—Debemos vigilarla para que nadie se los proporcione. Una vigilancia continua durante día y noche.

—¿Una vigilancia estricta?

—Es la única manera de poder ayudarla. Sé que le puede parecer drástico, pero es por el bien de la princesa. Los dulces provocarían un exceso de Yin y esto pondría en peligro su vida.

—No me interesan los detalles. ¿No es mejor revisar el tratamiento?

—El tratamiento es correcto. Visto que le falta fuerza de voluntad y no puede controlarse, nosotros debemos ayudarla.

—Ordenaré a las guardias tener a la princesa bajo vigilancia. Pero te advierto que mi paciencia tiene un límite.

Cuando la princesa se enteró de la orden acudió a su padre.

—Padre, Gran Emperador, ¿qué está pasando? Hay guardias que me vigilan hasta por la noche.

—El médico dice que no debes comer lo que te ha prohibido. Debes seguir el tratamiento que ha marcado. Pero visto que no puedes controlar tu ansia, debemos ayudarte.

—Esto no me gusta porque me siento como una prisionera.

—¿Acaso no eres ya una prisionera de la comida?

Al oír esto, la princesa rompió a llorar.

—Si el Emperador me lo permite, deseo retirarme.

El Emperador, consternado, hizo una señal de aprobación y la princesa salió entre lágrimas.

Los guardias, bajo la orden imperial, vigilaban a la princesa todas las horas del día y de la noche. La joven estaba triste y lloraba a menudo. Su única manera de desahogarse era comer algo dulce, pero la vigilancia le hacía imposible conseguirlo. Su ansia de azúcar había llegado a un nivel insoportable.

Meifen empezó a tener frecuentes pesadillas. En una de ellas soñó que escapaba del reino con los guardias corriendo detrás de ella. Llegó al bosque y se cayó en un pozo lleno de pasteles y tartas. Sin pensarlo dos veces, empezó a engullir todo el contenido delicioso del pozo hasta que vio su imagen reflejada en el agua. Dio un grito de terror y se despertó bañada en sudor frío.

Después de unos días de sufrimiento, la princesa encontró la manera de calmar su ansiedad: en vez de comer dulces, se dio grandes atracones de comida. Pasaron unos días hasta que el médico se dio cuenta de la nueva estrategia de la princesa y ordenó que racionaran su comida. La pobre no sabía qué hacer. Se sentía como un animal herido arrinconado por un depredador sin piedad.

La Emperatriz avisó al Emperador de que el tratamiento estaba perjudicando la salud psicológica de su hija y pidió que despidiera al médico. El Emperador, decepcionado, lo llamó.

—Te había advertido de que este caso era grave. ¿Por qué no has podido ayudar a mi hija?

—Yo he seguido las prescripciones de la *Medicina Interna del Emperador Amarillo,* la obra médica más antigua de nuestro reino. Si el Emperador me lo permite, mi impresión es que la princesa debe fortalecer su fuerza de voluntad para poder seguir la dieta. Ella no se esfuerza lo suficiente. Parece una joven inteligente, pero no valora su salud y es... perezosa.

—Han pasado tres meses y no has logrado que adelgace —replicó el Emperador decepcionado—. Reputado médico, lo que me importa no es tu conocimiento sino el resultado de tu tratamiento.

—Pero la princesa, por su debilidad y pereza, desoye mis órdenes.

—¡Basta! —gritó el Emperador— Te había pedido que curaras a mi hija, no que la insultaras. Vete de aquí. Tú también has fracasado. ¡Guardias! Pagadle su estipendio y acompañadlo a la muralla del reino.

El médico, temiendo la ira del Emperador, guardó silencio y salió con la cabeza agachada.

La dieta de Gran Ko Hung

Después de unas semanas, la princesa recuperó su alegría, pero su peso seguía como siempre.

Un día en la biblioteca real encontró una copia del *Tratado de Buena Salud* escrito por Ko Hung y Sun Simiao. Al finalizar la lectura de aquel documento pensó que había encontrado su salvación. Ordenó que los autores de aquel tratado vinieran para curar su obesidad. Más tarde supo que el primero había fallecido y que solo Sun Simiao vendría a visitarla.

Meifen estaba ansiosa por dar la bienvenida al médico de la corte del reino de Yelang y seguir su régimen. Al fin y al cabo debía seguir probando hasta encontrar el apropiado.

El médico fue recibido por el consejero, quien lo acompañó a presencia del Emperador.

—Soy discípulo del gran médico Ko Hung. Él estaba entre los cuatro médicos más célebres de los tres reinos. No había enfermedad que no curara.

Después de los honores y recibimientos, Sun Simiao habló con la princesa.

—Querida princesa, decidme qué habéis hecho hasta hoy para adelgazar.

La princesa contó cómo varios médicos habían intentado ayudarla con diferentes tratamientos.

—Yo no le puedo asegurar que mi tratamiento le librará de su mal, pero debemos probarlo.

—¿No va a realizar un diagnóstico?

—No hace falta porque todo lo veo en el color de vuestra cara. Esas manchas en la mejilla izquierda me indican que os alegráis más con los sabores dulces que con otros. En los últimos días os habéis dado un festín con harinas. Ayer por la noche habéis comido copiosamente y sufrís estreñimiento.

La princesa se quedó sorprendida por la exactitud de lo dicho por el médico.

—Alguien que puede decir tanto de mí con solo mirarme seguro que me ayudará.

—Tengo en cuenta los criterios básicos de la medicina antigua y según el diagnóstico de la persona determino los alimentos más convenientes para corregir los desequilibrios existentes.

Aquel día la princesa estaba entusiasmada. Habló con su padre y le aseguró que esta vez seguro que perdería su sobrepeso. El sabio Emperador había visto este entusiasmo otras veces. La princesa siempre empezaba un tratamiento con ilusión, pero después de unas semanas se descorazonaba.

A la mañana siguiente, el célebre médico explicó la teoría de los cinco elementos. Dibujó una estrella de cinco puntas en una hoja de papel y expuso en detalle:

—Cada punto representa un elemento: la madera genera fuego, el fuego genera tierra, la tierra genera metal, el metal genera agua, el agua genera madera. Como veis, es circular.

—Entonces parece que cada elemento es el origen del siguiente —comentó la princesa.

—Efectivamente. Cada elemento es madre del siguiente. Por lo tanto, si hay exceso de madera habrá mucho fuego. Todo está compuesto por una combinación de estos cinco elementos interconectados.

—¿Cuáles son los efectos de cada alimento? —preguntó la princesa.

—Podemos clasificarlos en tres bloques: calientes, neutros y fríos. Los alimentos calientes tonifican. Los alimentos neutros estabilizan. Los alimentos fríos sedan.

—¿Quieres decir que la causa de mi sobrepeso es que no respeto esta clasificación?

—La ciencia de los alimentos es más compleja de lo que parece. Debemos tener en cuenta los sabores también.

—¿Sabores? ¡Qué confusión!

—Paciencia, princesa. Para poder curaros debéis informaros y conocer lo básico. De modo que cada sabor tiene una característica energética diferente. Los alimentos ácidos contraen la energía vital del cuerpo hacia adentro, actúan sobre el hígado y la vesícula biliar. Este es el elemento Madera.

—Interesante.

Después de una breve pausa, el médico continuó:

—Los alimentos amargos favorecen el drenaje y la evacuación, y actúan sobre el corazón y el intestino delgado. Este es el elemento Fuego. Los alimentos salados ablandan, y actúan sobre el riñón y la vejiga. Este es el elemento Agua. Los alimentos dulces…

Le interrumpió la princesa:

—Mis favoritos.

—Los alimentos dulces ascienden la energía vital del cuerpo y actúan sobre bazo, páncreas y estómago. Este es el elemento Tierra.

—Me pierdo con tanta información.

—Hay más. Debemos también tener en consideración los colores. Los alimentos rojos revitalizan, los alimentos amarillos equilibran, los alimentos verdes desintoxican, los alimentos negros astringen y los alimentos blancos purifican.

—Entonces, ¿qué debo comer?

—Paciencia, joven princesa. No he terminado aún. Ahora llegamos a las cuatro energías y los efectos de Yin y Yang.

—Conozco el principio del Yin y Yang. El último médico era un experto en este tema y me trató según este método.

—Las cuatro energías son subcategorías del Yin y el Yang. Estas son calientes, templadas, frías y frescas. No me refiero a la temperatura de los alimentos, sino al temperamento que indican el efecto básico que ejercen sobre el cuerpo —explicó el médico—. Los alimentos calientes como el jengibre, los pimientos y la leche de coco se consideran Yang. Los alimentos fríos como los tomates, las berenjenas y la sandía pertenecen a la categoría Yin.

—Además, hay alimentos neutros, ¿verdad?

—Correcto. Alimentos neutros como el arroz y la pasta no ejercen ningún efecto sobre la constitución. Para poder erradicar vuestro mal debemos respetar todos los principios de la salud: el Yin y el Yang, las cuatro energías, los cinco elementos, los cinco sabores y el movimiento del chi.

El médico continuó explicando como si se tratara de una conferencia a los alumnos de Medicina:

—Todas las enfermedades del cuerpo son el resultado del movimiento y mutación de los cinco elementos: madera, fuego, tierra, metal y agua. Para gozar de buena salud debemos asegurarnos de que hay una armonía entre estos elementos. Emplearé los alimentos para reequilibrar los elementos dentro del cuerpo de la princesa. Los cinco sabores son: picante, agrio, amargo, dulce y salado. Aquí también con el término «sabor» me refiero a la naturaleza de un alimento y no necesariamente a su sabor en vuestra lengua.

—¿Debo saber todo esto?

—Claro que sí. Escribid, escribid… Entre los alimentos picantes se encuentran el ajo y el jengibre; los limones, las manzanas y los kiwis se consideran agrios; el té y las almendras se consideran amargos; los dátiles, el arroz y el pollo son dulces, y…

—Pero pensaba que el arroz era neutro.

—Lo es. Dejadme continuar… El cerdo, los mejillones y la sal son salados. Cada sabor se asocia con una categoría: los alimentos agrios, amargos y salados son Yin, mientras que los picantes y los dulces son Yang. Por otro lado, el chi es la fuerza vital o energía que fluye constantemente por el cuerpo. Existen distintas clases de chi, siendo las principales el chi congénito, presente en el cuerpo al nacer; el chi protector, que rodea el cuerpo y el chi nutritivo, presente en la comida. El equilibrio, la cantidad y la calidad del vuestro chi dependen sobre todo de los alimentos, de las bebidas que consumís y del aire que respiráis. Otros factores que pueden influir son los cambios climáticos y de estación, y el estado de los órganos de vuestro cuerpo, que absorbe el chi. Venid mañana y os daré el tratamiento. Recordad que debéis estudiar lo que habéis aprendido hoy.

A la mañana siguiente, el médico presentó su evaluación a la princesa Meifen.

—Según mi diagnosis minuciosa, tenéis las extremidades frías, os movéis despacio, dormís mucho, tendéis a retener líquidos almacenados en los tejidos y contáis con una capacidad respiratoria muy escasa.

—Es totalmente cierto. ¿Qué debo hacer?

—Los alimentos que podéis comer son ensaladas, cebollas, ajo, jengibre, clavo, zanahorias, apio, hinojo, cordero, ternera, pollo, trigo sarraceno, mijo, castañas, cerezas, caquis, níspero, lichis e higos.

La princesa escribía a toda prisa.

—Los alimentos prohibidos son: berenjenas, algas, mantequilla, queso, cerdo, conejo, pato, trigo, cacahuetes, los aceites calientes y los dulces.

Al oír las últimas palabras, Meifen suspiró.

—Sé que os gustan los dulces, pero debo advertirle de que, según mi diagnóstico, os causarían daños irreversibles en el cuerpo porque su constitución no se lo permite.

—Pero mi cuerpo ansía los dulces. ¿Qué hago si tengo ansiedad de comer pasteles?

—Debéis vencerla —declaró el médico tajantemente.

—Pero ese es mi punto débil.

—De acuerdo. Podéis comer una pieza de fruta dulce para calmar vuestra ansia.

La princesa Meifen empezó el nuevo régimen basado en las enseñanzas de Ko Hung. Aquella noche juró solemnemente que no iba a comer dulces. Se sintió con una especial carga de motivación y autoconfianza para vencer las tentaciones. Por fin podría adelgazar y tener una figura esbelta. Con estos pensamientos durmió aquella noche.

El día siguiente, Meifen siguió las órdenes del médico a rajatabla. Comió un desayuno sano y equilibrado. Unas horas después sintió necesidad de comer algo dulce. Ordenó a su sirviente que le trajera una fruta dulce. La comió disfrutando de su suave dulzura, pero el cuerpo le pedía más. Aquel día aguantó relativamente bien. Durmió con la ilusión de que, por fin, había encontrado el camino.

Pasaron siete arduas jornadas sin dulces. La séptima noche, Meifen se despertó y corrió afanosamente hacia la cocina. Se abalanzó sobre los pasteles y se dio un atracón. Mientras engullía los dulces se despertó. Pasaron unos segundos antes de darse cuenta de que había tenido otra pesadilla.

A partir de aquella noche soñaba con todo tipo de tartas y confituras. Durante el día libraba una lucha consigo misma para controlarse. El médico la pesó y le informó que había perdido algo de peso. Alabó su espíritu de sacrificio y le permitió comer dos frutas dulces al día como recompensa a su esfuerzo.

Pasaron tres semanas. El médico estaba contento del resultado. El Emperador y la Emperatriz eran felices, pero Meifen se sentía miserable. Cada noche soñaba con los alimentos prohibidos y durante el día luchaba contra la ansiedad. Por un lado estaba contenta porque estaba bajando de peso, pero al mismo tiempo se sentía infeliz. Pasaba horas llorando a solas por el sufrimiento y el sacrificio de no comer dulces.

Al cumplir un mes de régimen, Meifen volvió otra vez a comer dulces. Pero esta vez no se trataba de un sueño. Devoró todos los pasteles que había encontrado en la cocina.

El día siguiente confesó al médico, con lágrimas en sus ojos, que había perdido el control de nuevo.

—No puedo creer vuestra trasgresión —lamentó el médico—. Justo cuando las cosas marchaban bien.

Meifen no pudo contestar. Sintió rabia, frustración y autodesprecio en lo más profundo de su alma.

—He realizado un largo viaje para servir a su padre —continuó el médico—. Solo he pedido vuestra colaboración. No me queda más remedio que anunciar vuestro fracaso ante el Emperador.

El rey escuchó al médico la explicación de lo sucedido.

—He creado un régimen a medida de las necesidades de la princesa Meifen. Lamento comunicaros que, a pesar del éxito inicial, su hija ha echado a perder todo lo que había conseguido. No solo había perdido peso sino que, según indicaba el iris, su salud había mejorado. Pido permiso para regresar a mi reino.

La tabla de ejercicios

A los pocos días llegó a palacio un nuevo erudito con la intención de ayudar a Meifen a perder los kilos que le sobraban. El Emperador había llegado a la conclusión de que si los médicos mas celebres habían fracasado, a lo mejor el problema de la princesa no era por la comida, sino que se trataba sencillamente de una falta de actividad física. De modo que había ordenado traer al mejor maestro de artes marciales. Él mismo había practicado el Kung fu y ahora albergaba la esperanza de que quizá un entrenamiento físico podría solucionar el sobrepeso de su hija.

La princesa se entusiasmó por la llegada del maestro de Kung fu. El instructor empezó con técnicas y movimientos suaves, pero cada semana aumentaba la intensidad del entrenamiento. El maestro explicó que antiguamente el templo de Shaolin era un lugar de penurias y meditación. Los monjes estaban físicamente débiles y enfermos a causa de la escasez de comida y de la vida ascética. Además, los ladrones robaban continuamente los objetos sagrados. Todo cambió con la llegada de su santidad Bodhidharma, quien desarrolló un sistema de ejercicios que mejoraron la salud de los monjes y también les sirvió como técnicas de defensa.

—Con el paso del tiempo, los monjes crearon varias escuelas de artes marciales —explicó el maestro—. El estilo que os estoy enseñando ha sido desarrollado por una monja budista llamada Yim Wing Chun. Este estilo es el más blando de todas las escuelas y el más poderoso.

Durante tres meses, la princesa aguantó el entrenamiento del maestro. Después de unas semanas, el maestro de Kung fu endureció las rutinas. De modo que a partir de la tercera semana entrenaba a la princesa con duros ejercicios para perder peso, pero la princesa comía más porque tenía más apetito. Tanto ejercicio le abría el apetito y, además, se autoengañaba: «Esta tarde voy a practicar, de modo que puedo comer este trozo de tarta», pensaba.

A pesar del duro entrenamiento, el peso de la princesa bajó poco. Parecía más fuerte, pero su aspecto era igual que antes de empezar a ejercitarse.

Aunque el Emperador estaba contento con el trabajo del maestro de Kung fu, se dio cuenta de que el ejercicio físico no era la solución de la obesidad de Meifen. La princesa estaba más fuerte y había adelgazado algunos kilos, pero seguía con sus atracones. Después de agradecer al maestro su trabajo y recompensarle por su servicio, se despidió de él.

Meifen tenía la instrucción de continuar con su entrenamiento diario, pero enseguida perdió su motivación y volvió a las rutinas y costumbres anteriores. En apenas tres semanas había engordado otra vez.

4

Ana

Ana y Julia eran buenas amigas desde la adolescencia. Ana ya había cumplido los cuarenta y llevaba varios años esforzándose por adelgazar. Julia y Ana habían quedado en una cafetería de la ciudad.

—Como te dije por teléfono —introdujo el tema Julia—, estoy escribiendo un reportaje sobre la obesidad, dietas y métodos para adelgazar. He pensado en hablar contigo acerca de tu experiencia personal con todo este tema. Ya sé que todas las mujeres, incluida yo misma, casi nunca estamos satisfechas con nuestro cuerpo y queremos adelgazar unos kilitos, pero tú, en varias ocasiones, me has contado tus problemas en la lucha contra estos kilitos y he pensado que podrías ser una fuente valiosa de información.

—Soy toda tuya. ¿Qué quieres saber?

—Bueno, para empezar dime cuándo empezó este afán de adelgazar.

—Desde casi siempre —dijo Ana con una sonrisa amarga—. De pequeña ya era rellenita. Me acuerdo de la voz de mi madre que solía decirme: «Come, niña, que las mujeres deben estar hermosas». Desde que en el colegio me empezaron a llamar gorda me inicié en las dietas para adelgazar. ¡Por aquel tiempo yo tenía trece años! Así que, desde que yo recuerdo, siempre he estado preocupada por mi peso.

—Y has conseguido adelgazar varias veces pero…

—… Pero siempre vuelvo a coger los kilos perdidos. No hay dieta que no haya probado. Lo curioso es que siempre consigo adelgazar. Pierdo mucho peso. Me acuerdo que en una época adelgacé unos 15 kilos con una dieta.

—¿Y luego qué pasó?

—Nada, volví a comer como antes y engordé.

Ana hizo una pausa para reprimir las emociones.

—Hace unos años me puse a dieta y, además, me apunté a un gimnasio. En dos meses bajé 10 kilos, que volví a recuperar cuando dejé todo. En cuanto adelgazo unos kilos, abandono las buenas costumbres.

—¡Adiós a las verduritas y frutas!

—Efectivamente.

—Hace unos meses que empecé otra dieta.

—¿La estás haciendo bajo supervisión médica?

—No. ¡Qué va! Al principio hice las dietas con nutricionistas y endocrinos, pero ahora ya soy una experta y sé lo que no debo comer. El problema es que me aburro, me canso de las dietas y me las salto. Creo que estoy loca.

Ana soltó una carcajada nerviosa.

—Cuéntame algo de tus emociones. ¿Cómo te sientes cuando empiezas una dieta y qué pasa cuando te la saltas y empiezas a engordar?

—Al empezar una dieta, me digo: «Ana, esta es la dieta definitiva. Verás cómo adelgazas». Me siento fuerte y puedo resistir las tentaciones. Y cuando veo cómo voy perdiendo kilos me siento eufórica. Pero paralelamente estoy batallando contra las tentaciones. Sabes que a mí me encantan los dulces. Así que, aunque las cosas van bien y voy adelgazando noto una fuerte atracción hacía todas las cosas prohibidas.

—¡Ah, las malditas tentaciones! —dijo Julia con un suspiro.

—Parece la obra del mismísimo diablo. Déjame que te explique mi lucha contra el diablo:

EL DIABLO: «Venga, Ana, ¡cómelo! ¡Está delicioso!».

YO: «No, no lo haré porque luego me arrepentiré».

EL DIABLO: «¡Pruébalo! Solo un trozo».

YO: «No, no voy a picar. Voy a aguantar».

EL DIABLO: «Huele bien, mmmmm. Solo un trocito pequeño».

YO: «No, sigo con mi dieta».

—Pero al final cedo a las tentaciones. Un día me digo a mí misma: «He sido una buena chica y he adelgazado 10 kilos. Hoy me puedo permitir un poco de chocolate». Pero no puedo controlarme y como demasiado.

El semblante de Ana se tensó y con un tono serio continuó:

—Pero no como estas cosas prohibidas delante de la gente ni de mi familia.

—¡No me digas que comes a escondidas!

—Te estoy diciendo que es la obra del mismísimo diablo. Me acuerdo una vez que «robé» unos bombones y me los comí en el baño y luego me cepillé los dientes para que mi marido no se diera cuenta del olor del chocolate en mi boca. Lo sé, es patético.

—Y así empieza el circulo vicioso, ¿verdad?

—Sí. Me digo: «Bueno, ya que he comido unos bombones, un poco de tarta no me hará daño». Y así comienza mi camino hacia la perdición. Y en pocos días empiezo a recuperar los kilos perdidos. Entonces mi euforia se transforma en desánimo. La frustración por el fracaso me hace despreciarme a mí misma y lloro. Pero después de unos días me siento mejor y olvido la lucha contra mi peso hasta...

—¿Hasta?

—Hasta que un día me veo en el espejo o me fijo en algunas mujeres guapas en la tele, y así comienza de nuevo el círculo vicioso.

—¿Has probado consultar a una psicóloga para esto?

—Sí, pero tampoco me funcionó. Un día decidí hacer algo diferente y visité a un psicólogo. Pensé que a lo mejor el problema no radicaba en mi cuerpo, sino en mi cabeza. Le conté toda mi niñez y los recuerdos con mi madre y mi lucha con la comida. Él me dijo que tenía bloqueos emocionales y que mientras no lograse deshacerme de ellos seguiría con mi círculo vicioso de bajar y subir de peso.

—Al parecer, no pudo ayudarte del todo.

—Bueno, hablamos mucho sobre mis recuerdos infantiles, mis sueños y mis pensamientos. Era interesante pero, según él, debía estar en terapia unos años para librarme de estos temas emocionales y recuperar mi autoestima. Pero no tengo tanto tiempo ni paciencia.

—¿Qué más has hecho para adelgazar?

—De todo. He tomado pastillas, bebidas adelgazantes y hasta hace un par de años me puse un balón gástrico. Nada de nada.

La idea de pasar por el quirófano me ha venido alguna vez a la cabeza.

—¿Te refieres a una liposucción?

—Sí, pero he leído que es una operación potencialmente peligrosa.

Julia terminó la entrevista y le prometió pasarle una copia del reportaje.

—A lo mejor tu artículo me ayuda a salir de este laberinto —dijo Ana despidiéndose de Julia.

5

El sabio monje

*Pasaron seis meses. La princesa Meifen se sentía deprimida. Parecía como si se hubiera resignado a su destino de ser gorda de por vida.

Un día, mientras su carroza imperial atravesaba la ciudad, oyó a una madre decir a su hija pequeña: «Mira, es la Tercera Princesa, Meifen». A lo cual, la niña contestó: «Meifen, la princesa gorda».

Al oír este comentario, la joven rompió a llorar y pidió a los guardias que la llevaran al Bosque de la Felicidad.

Deseaba ir a un lugar en el bosque con árboles y flores que ocultaban una fuente de aguas cristalinas. El aroma de las flores, el canto de los pájaros y el sonido del agua aplacaban la tristeza de la princesa. Era su lugar favorito. Pero aquel día, el bello canto de las aves y el perfume de las flores no podían sosegar su desolación.

Meifen se sentó en una piedra cerca de la fuente y vio su gordo cuerpo reflejado en el agua. Inmediatamente apartó la vista y no pudo reprimir el llanto.

Nada le podía ayudar. Los mejores médicos del reino, con los remedios y las pociones más raras, no habían podido ayudarle a superar su gordura. Mientras que estos pensamientos le torturaban el alma, vio a un monje anciano acercase a la fuente.

A pesar de su pelo blanco, caminaba erguido como un joven. Salvo por algunas arrugas su cara reflejaba buena salud y vigor físico. El saco que llevaba parecía no pesarle.

El monje dejó a un lado su carga, se lavó las manos y se refrescó la cara. Sacó una vasija de arcilla, la llenó de agua y bebió con placer. La princesa dejó de llorar y miró al monje. Sus movimientos eran elegantes y delicados. Este no solo no se había perturbado por el llanto desconsolado de la princesa sino que su calma le había contagiado.

En ese momento, dos de los guardias reales se acercaron con intención de alejar al monje de la princesa Meifen. Ella, sin embargo, les ordenó retirarse y dejar que el monje disfrutara del agua de la fuente.

—Mi padre es el justo emperador Han Wudi y no se alegrará si le decimos que hemos impedido a un monje saciar su sed.

Los dos guardias hicieron una reverencia y se alejaron del lugar.

El monje, después de haber bebido, miró a la princesa e inclinó la cabeza con respeto. Se sentó en una roca cercana a la fuente y de un pañuelo sacó un trozo de pan y queso. Salpicó unas gotas de agua sobre el pedazo de pan duro para ablandarlo y empezó a comer pequeños trozos.

—Buen hombre, ¿quién eres? ¿De dónde vienes? ¿Y adónde vas? —inquirió Meifen.

El monje soltó una sonora carcajada. La princesa nunca había oído una risa tan sincera y no pudo contener la suya propia. Los guardias miraban con curiosidad cómo la princesa Meifen y el monje se reían. Poco a poco la carcajada del monje se calmó y se convirtió en una sonrisa solemne. Miró a la princesa en silencio por unos momentos.

—Soy Luan Wei, un monje a su servicio. Vengo de un retiro de meditación en las montañas y me dirijo al monasterio Shando.

La princesa, que había olvidado su pena, al oír que se trataba del monasterio donde residían monjes famosos por la pureza de su corazón y alma, vio una oportunidad de salvación.

—Ojalá pudieras recitar unas oraciones por mí. Seguro que las plegarias de un hombre santo tienen efecto.

—Yo no soy un santo —contestó el anciano—. Soy un simple monje. En todo caso, os prometo que os tendré presente en mis meditaciones, joven princesa. Encenderé una vela y haré ofrendas de té dulce, flores y fruta al santo Buda. Pero decidme: ¿Qué os aflige el alma?

La princesa le contó su historia. Le explicó al monje cómo había intentado adelgazar por todos los medios posibles. Había realizado ejercicios intensos y ayunos depurativos para recuperar el equilibrio interno y había empleado la fuerza de voluntad para no comer alimentos prohibidos. Pero cada vez era atraída de nuevo como una poseída hacia todos los alimentos que no debía comer. También le refirió la tradición milenaria del reino por la cual debía realizar ciertas pruebas físicas de habilidad y agilidad. Pero su obesidad le impedía superarlas y esto era un gran sufrimiento para su padre, el gran Emperador Han Wudi, y su madre, la Emperatriz.

—Me supone un esfuerzo sobrehumano seguir las indicaciones de los médicos de la corte que son de los mejores de todo China. Suelo saltarme las dietas porque las tentaciones son fuertes. Siento que me falta fuerza de voluntad. Soy inútil y débil.

—Contadme más —le pidió el monje.

—Me siento atrapada en un pozo negro sin salida, en un círculo vicioso. Sé que debo comer poco. Lo intento por unos días, no como las cosas que me gustan... pero me tientan. Cuando sigo un régimen, paso hambre y sufro. Aguanto durante unos días, pero tarde o temprano la tentación me vence. No soy capaz de resistir los impulsos, así que abandono la dieta y recupero los kilos perdidos. Estoy viviendo un infierno.

—Permitidme entenderlo mejor. Cuando no os sentís capaz de seguir un régimen y os lo saltáis, os sentís frustrada y os decís: «No puedo adelgazar porque soy débil y me falla la fuerza de voluntad. Por lo tanto, debo conformarme con mi peso». Os decís que sois gorda y que no se puede hacer nada. Pero después de un periodo de tiempo os sentís mal. Sufrís estas preocupaciones hasta que no aguantáis más y otra vez empezáis a pasar hambre con la esperanza de que esta vez podréis emplear vuestra fuerza de voluntad para adelgazar. Pero el círculo vicioso se repite.

—¿Por qué a pesar de todos los remedios de los mejores médicos del reino no puedo adelgazar? ¿Por qué?

—Mi joven princesa, os estáis planteando una pregunta equivocada. Esta pregunta os llevará a un laberinto sin salida. Os sugiero que os hagáis una pregunta diferente. Una pregunta que os pueda ayudar.

—No entiendo. ¿A qué clase de pregunta te refieres?

—El «porqué» nos lleva a una indagación en el pasado. A menudo el pasado revela el origen de las causas de un problema. Pero la solución, desde luego, reside en el presente.

La princesa escuchaba con interés.

—Descubrir el «porqué» puede hacernos entender un problema, pero no aporta nada al descubrimiento de un remedio.

—¿Me puedes dar un ejemplo?

—Cuando un sirviente, por un despiste, derrama el contenido de una copa, no se pregunta: «¿Por qué lo he hecho?», ¿verdad?

—Es cierto —respondió Meifen—. Su pensamiento en ese momento es: «¿Cuál es la mejor manera de limpiarlo?».

—Efectivamente. Su pregunta es: «¿Cómo puedo remediarlo?».

Meifen reflexionó unos momentos sobre las palabras del monje.

—Ahora entiendo, sabio monje. Permíteme reformular mi pregunta: «¿Cómo puedo librarme de mi obesidad?».

—Ahora habéis acertado en vuestra pregunta, joven princesa.

—¿Puedes ayudarme?

—Sí. Yo tengo la respuesta, pero no sé si vos estáis preparada para recibirla.

—Mi reputación como princesa está en juego, por no mencionar el orgullo del Gran Emperador Han Wudi y de su reino. Estoy dispuesta a todo. Te lo ruego, dime cómo puedo librarme de esta aflicción. Enséñame el camino. Haré lo que me digas. Tomaré los remedios más amargos que me des. Tengo fe en ti.

—No sé si estáis dispuesta a poner en práctica mis indicaciones. El camino que os voy a revelar no es un sendero habitual.

Antes de recibir el secreto para conseguir el anhelo de vuestro corazón, debéis prometerme que haréis exactamente lo que os prescribo.

—Venerado monje Luan Wei, he tomado los peores remedios, he tragado vísceras crudas de animales, he aguantado entrenamientos duros y me han sometido a innumerables curas dolorosas para liberarme de mi gordura. Haré cualquiera cosa que me digas.

El monje miró a la princesa Meifen en silencio unos momentos y luego le contestó:

—Quiero que vuestra decisión de obedecer mis órdenes sea el resultado de una reflexión y no debido a la desesperación. Nos veremos mañana a la misma hora en este mismo lugar y os diré lo que debéis hacer. Mientras tanto, querida joven princesa, reflexionad atentamente sobre vuestra decisión de obedecerme porque mi metodología es particular. Debéis seguir mis instrucciones a rajatabla. Cualquier cosa que os diga, debéis hacerla sin dudar. Aunque algunas cosas que os pida que hagáis os parezcan sin sentido, extravagantes y hasta insensatas.

—De acuerdo —dijo la princesa.

La princesa Meifen se dio la vuelta y se alejó de la fuente hacia su carruaje. Realizó el camino absorta en sus pensamientos. El encuentro con el monje la había impresionado y Meifen estaba, por un lado, esperanzada, pero al mismo tiempo, escéptica. «¿Y si el monje me ha tomado el pelo?», dudó la princesa. «A lo mejor ha visto a una mujer gorda y se ha queerido reír de mí». Durante el viaje le asaltaron muchas dudas y se sintió confusa.

«¿Y si el monje quisiera aprovecharse de mí?», se decía. «¿Qué quiere decir con que sus métodos son particulares y que debo prometer hacer todo lo que me ordene? ¿Y por qué me ha pedido que oculte mi encuentro con él?». Y así vivió unas horas tormentosas en un carrusel de emociones contradictorias.

6

Congreso contra la obesidad

Julia bajó del taxi y entró en el hotel. En la recepción vio el cartel del congreso y se dirigió a la sala. En la entrada, una azafata le pidió su nombre para entregarle la documentación. Julia le enseño su carné de periodista y recogió el material.

Un especialista hablaba del papel de los genes en la obesidad. El siguiente conferenciante alababa los efectos de un nuevo medicamento que, según los ensayos clínicos, había ayudado a un grupo de mujeres obesas a controlar su peso.

Según el programa, el doctor Víctor Font ya había hecho su presentación. Julia decidió esperar. Sacó su móvil y empezó a jugar al sudoku y otros juegos. Estaba en la mitad de un juego de ajedrez cuando el orden de la sala se rompió. Julia preguntó por el doctor Font y localizó al especialista. Le explicó que quería hacerle una entrevista. Los dos se dirigieron al bar del hotel.

—¿No le parece una paradoja —preguntó Julia— que hoy sepamos mucho más sobre el sistema cardiovascular que hace décadas y, en cambio, nunca habían muerto tantas personas por enfermedad coronaria como ahora?

—Es cierto —contestó el doctor Font—, y por este mismo motivo tenemos que insistir con la información y educar a la población desde muy temprana edad.

—Y no hablamos de la obesidad infantil, que está en aumento —subrayó Julia.

—En 1997, la Organización Mundial de La Salud —dijo el especialista— declaró la obesidad como una epidemia que amenaza la salud pública de forma grave. Si no cambiamos nuestros hábitos alimenticios, la mitad de los europeos seremos obesos en el año 2025. Sabemos que hay 300 millones de obesos en todo el mundo. A esta cifra hay que añadir otro 700 millones de personas con sobrepeso.

El doctor Font añadió edulcorante a su café, tomó un sorbo y continuó:

—La obesidad es una enfermedad crónica. Comemos mal y demasiado. Las consecuencias del sobrepeso y la obesidad son muchas y peligrosas para la salud. La hipertensión, altos niveles de colesterol y acido úrico, diabetes, enfermedades cardiovasculares y trastornos cerebrales isquémicos son algunas dolencias causadas por comer demasiado. Las enfermedades cardiovasculares y cerebro-vasculares constituyen la primera causa de muerte en el mundo. Estas enfermedades se conocen como «asesinas silenciosas» porque casi nunca avisan. Los factores hereditarios no están bajo nuestro control, pero podemos dejar de fumar y reducir la grasa corporal.

—Dígame, por favor, algunos consejos para una alimentación sana.

—Los hidratos de carbono como el pan, cereales, pasta, arroz, patatas y legumbres deben formar la base de nuestra dieta. Estos alimentos son la fuente de energía para el cuerpo. Además, necesitamos proteínas como carnes y pescados para la construcción de las células del cuerpo. En tercer lugar, el cuerpo necesita las grasas buenas, como el aceite de oliva. Y para complementar todo esto hay que tomar frutas y verduras para asimilar las vitaminas y los minerales necesarios.

—En 2005, el *Journal of American Medical Association* publicó un estudio que comparaba las cuatro dietas más populares para perder peso: la dieta Atkins, la dieta Ornish (baja en grasa / vegetariana), la dieta de la Zona y la dieta Weight Watcher's. El resultado fue que todos los participantes adelgazaron. Pero independientemente de la dieta que habían utilizado, todo el mundo recuperó el peso. ¿Qué estamos haciendo mal?

—Falta de disciplina y poca fuerza de voluntad. Además, hemos olvidado el arte de comer y no nos movemos lo bastante. Antes los niños para divertirse jugaban al fútbol, mientras que ahora están delante de la tele o jugando a los videojuegos. A los niños de antes se les daban dulces una vez a la semana, pero hoy en día les vemos comer golosinas a diario.

—En pocas palabras —dijo Julia—, hay que comer sano y hacer deporte.

—Si me permite, le puedo dar diez puntos clave para una vida saludable que le servirán para los lectores de su reportaje.

—Lo llamaré «El Decálogo del doctor Font», dijo Julia con una sonrisa.

1. Haz un compromiso con tu cuerpo: vas a vivir en él muchos años. Come para vivir mejor, no solo para satisfacer el paladar.
2. No te saltes las comidas. No hay que darse prisa para adelgazar. Es recomendable comer cinco veces al día en plato de postre. Y fortalece tu voluntad para resistir las tentaciones.

3. No te obsesiones con tu peso. Lo importante es sentirse bien.

4. Hay que comer de todo. Una alimentación variada nos asegura que nuestro organismo recibe todos los nutrientes. Según el orden de importancia y cantidad, nuestra alimentación debe basarse en los carbohidratos, verduras, frutas, legumbres, carnes, grasa y azúcares.

5. Hay que beber al menos cinco vasos de agua al día para mantener el cuerpo bien hidratado.

6. Deja de comer cuando se te haya pasado el hambre, aunque quede más comida en el plato.

7. Limita la ingesta de azúcares y la grasa animal.

8. Prepara los alimentos de manera saludable. Es mejor a la plancha o cocidos que fritos o al horno.

9. Come pescado dos veces a la semana. Los pescados blancos son mejores opciones por su baja cantidad de grasa.

10. Haz alguna actividad física de manera regular. Elígela según tu edad y circunstancias personales.

Al terminar la entrevista, Julia se despidió del doctor Font y salió del hotel. En el taxi pensó en hablar con un experto en *fitness*. Decidió buscar al más famoso y popular de todos, Miguel Moreno. Un hombre de unos 35 años con el que multitud de actores y actrices del país habían sudado a sus órdenes. Julia lo llamó y concertó una cita.

7

La princesa contempla su primera tarea

❦

Los rayos del sol ya habían inundado el palacio cuando Meifen abrió los ojos. Esbozó una sonrisa y la emoción de su encuentro con el monje la empujó fuera del lecho. Se dirigió a los jardines reales y mientras contemplaba la belleza de las flores reflexionó sobre las palabras del anciano.

La princesa había decidido obedecer a Luan We, fueran cuales fueran sus indicaciones. Después de haber realizado sus tareas matutinas, Meifen ordenó a los sirvientes que prepararan su caballo. Antes de marcharse, una de sus sirvientas le comunicó que el Gran Emperador Han Wudi quería verla. Recorrió apresuradamente los largos pasillos que conducían a la presencia de su padre. Los guardias imperiales abrieron las puertas y Meifen se arrodilló delante del emperador, quien la ayudó a ponerse en pie.

—Querida Meifen, tengo entendido que ayer conociste a un monje en el bosque.

La princesa hizo muecas.

—Sabes que los guardias tienen órdenes de avisarme de cualquier cosa. Es por tu seguridad.

—Querido padre, ¿qué mal hay en aprender de la sabiduría de un monje de Shando?

—Pero tú tienes como tutor a uno de los monjes más sabios de nuestro reino. ¿Qué más buscas?

—Gran Emperador, la sabiduría no tiene límites. Te pido permiso para poder encontrarme con este monje sabio.

El Emperador, que era un hombre inteligente y justo, se quedó pensativo esbozando una leve sonrisa.

—Si puedes aprender algo nuevo del monje de Shando —le dijo el Emperador— no veo ningún inconveniente.

La princesa besó la mano del Emperador, se inclinó y, con el permiso de su padre, salió de la sala.

Era mediodía cuando la princesa llegó al bosque. Se fijó en el lecho profundo de rosas rojas que brillaban bajo el sol con sus pétalos de terciopelo. Palmeó el cuello de su caballo, descabalgó y dejó la brida a uno de sus guardias. Sin perder un instante, se dirigió hacia el monje, que estaba esperándola con una sonrisa.

—Bienvenida, joven princesa. Hoy es un día glorioso. Mirad cómo todo el bosque vibra con la clara luz del sol.

Meifen estaba impaciente por hablar de su decisión y pedirle sus consejos para empezar a adelgazar. Pero el monje hablaba de la belleza del entorno.

Meifen apreció que los rayos del sol habían pintado el bosque con una tinta carmesí suave. Algunos rayos solares penetraban a través del follaje de los árboles y se reflejaban en las aguas cristalinas de la fuente. Se estremeció con el aroma del bosque vigorizado por el calor. El monje tenía razón, era un día glorioso.

—Es un día verdaderamente hermoso —dijo Meifen y lo consideró como un buen augurio para cambiar de vida.

—¿Habéis reflexionado? —preguntó el monje— ¿Habéis tomado vuestra decisión?

—Sí —dijo la princesa con serenidad—. He tomado la decisión de acatar tus indicaciones.

—¿Estáis segura? Aún estáis a tiempo para dejarlo. ¿Qué elegís?

—Lo he pensado y quiero probar tu método.

—¿Probar?

—Quiero decir que haré lo que me propongas.

—Entonces ya no hay vuelta atrás.

El monje hizo una pausa y luego prosiguió:

—Hasta ahora habéis probado todos los remedios de los más célebres médicos del reino. Habéis bebido pociones amargas; os habéis privado de comer los alimentos que más os gustan y ninguna de estas medidas os ha proporcionado la solución definitiva a vuestra obesidad, ¿verdad?

—Así es, sabio monje.

—Y ahora, después de haber reflexionado, estáis dispuesta a poner en práctica mis indicaciones, sean las que sean.

—Sí, he reflexionado y estoy preparada para seguir tus instrucciones. Yo quiero adelgazar lo antes posible. He sufrido muchos años, estoy harta de ser gorda, de cargar con este cuerpo pesado. Quiero poder pasar las pruebas del torneo para encontrar un esposo.

El monje se sentó en una piedra que estaba debajo de un árbol e invitó a la princesa a sentarse a su lado. Se hizo el silencio, luego el monje habló con un tono solemne:

—Antes de deciros lo que debéis hacer, permítame contaros una historia:

Había una vez una joven que, al hacerse mayor, como era la costumbre en su tierra, fue enviada al campo de batalla. En su reino las damas también debían empuñar las armas y combatir. Su primer combate le asustó porque recibió unos golpes inesperados. La joven doncella sufrió daño. Abandonó el campo de batalla llorando y fue a construirse una armadura que la protegiera de los golpes.

Al día siguiente se puso la armadura y se presentó en la batalla. Con la armadura se sentía segura y protegida. Segura y protegida por su armadura, la joven libró una lucha más intensa contra sus enemigos. Como era de esperar, al pelear con mayor intensidad recibió golpes más fuertes. La joven volvió a sufrir dolor y se asustó más que el día anterior.

Como era previsible, la joven abandonó la batalla y se fue a casa para construir una armadura más fuerte. Al final fabricó una armadura que pesaba más y le brindaba mayor protección. Sin embargo, el peso de la gruesa armadura le quitaba su agilidad innata. Pero ella decidió que era mejor tener mayor protección que la comodidad de sentirse ligera. Desgraciadamente, su nueva y pesada armadura no le protegía del todo porque recibió algunos golpes fuertes que le hicieron daño. Dolida y enfurecida decidió construir la armadura más pesada que pudiera aguantar su cuerpo.

Con la nueva armadura le costaba moverse. Le dolían las rodillas por su peso. Se movía con fatiga y dificultad. En el campo de batalla recibía golpes, pero ya no le dolían porque la armadura la protegía. Por fin había encontrado la armadura lo suficientemente gruesa como para protegerse.

Después de un tiempo se acostumbró al peso de la armadura y decidió no quitársela nunca. «¿Y si los enemigos se presentan en mi propia casa?», pensó. De esta forma decidió llevar su armadura pesada a todas partes, hasta incluso dormir con ella. Así no temía los golpes mortales de los enemigos. Su armadura la protegía.

Todo iba bien hasta que un día se dio cuenta de que había algunas jóvenes guerreras que luchaban a su lado en el campo de batalla sin armadura alguna. «¿Cómo es posible?», se preguntaba la joven. «¿No se hacen daño?» Desde entonces, cada vez que se miraba en el espejo se veía ridícula y fea. Así que decidió quitarse la armadura. Al ser tan fuerte y robusta le costó varias semanas deshacerse de ella.

Al librarse del peso, se sintió ligera y feliz. Ahora podía caminar con facilidad y sin agotarse. Se sentía a gusto, fuerte y satisfecha porque había logrado deshacerse de su pesada coraza.

Pero llegó la hora de ir al campo de batalla. Era su primer día sin la armadura. Todo iba bien hasta que recibió un golpe fuerte y sintió el dolor. Asustada, abandonó la batalla y en pocos días se construyó otra vez una armadura pesada. Por un lado se sentía aliviada porque estaba protegida pero, por otro lado, se sentía deprimida y lloraba a menudo. Quería librarse de este peso, pero se asustaba de los golpes.

Un día le hablaron de un maestro de artes marciales que enseñaba a las mujeres jóvenes a luchar sin armadura. La joven buscó al maestro y le suplicó que le desvelara el secreto de la lucha sin armadura.

El maestro le preguntó: «¿Estás dispuesta a renunciar a tu armadura?».

«Sí», le contestó la joven sin dudarlo.

El maestro le dijo: «Te voy a enseñar una técnica milenaria. Un secreto que te librará de este peso y te permitirá volver al campo de batalla sin hacerte daño. Pero te advierto de que esta técnica es tan aparentemente sencilla que tu mente consciente, tu mente analítica se resistirá al principio. ¿Me das tu palabra de que la practicarás a diario?».

«Te lo prometo», respondió la joven, afligida.

La joven quiso quitarse la armadura de golpe, pero el maestro le explicó que debería tener paciencia y llevar la armadura durante un tiempo. «Cada dos semanas aligeraré tu armadura», le prometió el maestro.

El monje se detuvo un momento.

—Por favor, estimado monje, cuéntame qué le pasó a la joven guerrera.

El monje prosiguió con gravedad:

El maestro de artes marciales iba preparando a la joven con las tareas más extrañas. Al principio, la joven se mostraba escéptica de los resultados del entrenamiento del maestro, porque la metodología era particular y extravagante. Pero la joven le obedeció y con paciencia siguió todas sus indicaciones hasta que poco a poco su armadura comenzó a aligerarse. Cada vez que volvía al campo de batalla, estaba mejor preparada para esquivar los golpes y devolverlos. Al mismo tiempo que aprendía nuevas técnicas marciales, su armadura se aligeraba. Hasta que un día se fue al campo de batalla con una nueva armadura hecha de cuero: flexible y ligera, pero resistente. Con el entrenamiento, los movimientos de la joven se convirtieron en fluidos y fuertes como el agua y le permitieron ganar las batallas.

Meifen escuchaba con suma atención. No podía expresar lo que aprendió de la historia del monje, pero se encontraba más relajada y serena. Se dio cuenta de que la historia servía como una introducción a lo que le esperaba: su primera tarea.

—Estimado monje —preguntó Meifen con anhelo—: ¿Qué debo hacer?

—Vuestra primera tarea consiste en comer todo lo que os gusta durante las próximas dos semanas. Comed única y exclusivamente los alimentos que os proporcionen placer.

La princesa se quedó perpleja.

—Debéis comer todo lo que os complazca —continuó el monje—. Os «prohíbo» adelgazar.

—¿Me estás pidiendo que engorde? —preguntó la princesa, indignada.

—Yo no os he pedido esto. Durante los próximos catorce días debéis comer todo lo que os gusta. Todos los alimentos que os han prohibido los médicos de la corte ahora están permitidos.

—¿Puedo comer todo lo que quiera?

—«Debéis» comer todos los alimentos que os agradan.

—¿Puedo comer el bizcocho dulce que prepara el cocinero imperial?

—Sí, podéis.

—Pero el médico me dijo que contiene mucho yin y es perjudicial para mi salud.

—Mi primera instrucción os obliga a comerlo, si ese es vuestro deseo.

Meifen imaginó, por un instante, las consecuencias de la primera indicación del monje. La idea la aterrorizó.

—Pero si obedezco tu consejo engordaré más —protestó Meifen.

—Me habéis dado vuestra palabra de que me ibais a obedecer —repuso el anciano.

—Estimado monje, libérame de mi compromiso. No puedo hacerlo. Si engordo más, la muerte es preferible a esta vida.

—Querida joven princesa, os recuerdo que me habéis prometido hacer todo lo que os pida. Os he dado un día para reflexionar. Además, os he ofrecido la oportunidad de dejarlo. Me habéis dado vuestra palabra de honor. Pertenecéis a la familia más noble de toda la historia de estas tierras. El Gran Emperador Han Wudi es el Padre del reino. Si rompéis vuestra palabra, mancharéis la reputación de vuestro padre.

—Tienes razón, monje. Tienes razón.

El monje añadió:

—Además, quiero que hagáis la siguiente tarea hasta que nos veamos:

Cada día, preferiblemente a la misma hora, debéis coger un reloj grande de arena que dure mucho. Sentada en un lugar cómodo donde nadie os moleste, debéis coger papel y pluma para escribir y, hasta que dure la arena, permaneced sola en la habitación y procurad evocar todos los pensamientos relacionados con vuestra obesidad. Recordad todos los pensamientos angustiosos y escribidlos. Pensad en los peores miedos acerca de vuestro cuerpo y cómo las cosas podrían ir a peor. Pensad en todos vuestros miedos, preocupaciones y peores fantasías. Intentad sentir toda la emoción intensamente. Escribid. Escribid sin censurar.

Dejaos llevar por las emociones: si queréis llorar, llorad; si os viene gritar, gritad. Intentad evocar las emociones más perturbadoras relacionadas con vuestro cuerpo. Escribid sin pensar. Escribid sin censurar. Escribid hasta que se acabe la arena en el reloj. En cuanto termine vuestro tiempo, dejad de escribir. Evitad leer y romped en pedazos los papeles que habéis escrito. Entonces salid de la habitación, refrescad vuestra cara con agua y reanudad vuestras actividades diarias. Sin embargo, durante este lapsus de tiempo, cada día, debéis sentaos y evocar las emociones negativas y escribirlas.

Meifen estaba inmóvil escuchando con atención como si se encontrara en un trance hipnótico.

El monje continuó:

—Cada uno tenemos un pozo donde guardamos el agua de la vida. El pozo es nuestro corazón y el agua nuestras emociones. Si las paredes del pozo se ensucian contaminarán el agua. Por tanto, de vez en cuando debemos bajar a las profundidades de nuestro pozo y limpiar. No es una tarea agradable, pero necesaria.

Meifen se despidió del monje. Estaba perpleja y confusa: «¿Acaso te has vuelto loca?», «¿comer todo lo que te apetece?». «¡Nada está prohibido y, para colmo, me ha prohibido adelgazar!» Pero algo en su interior le decía que debía tener confianza en el monje. Al final Meifen decidió llevar a cabo las instrucciones del monje. Iba a comer todo lo que le apetecía. Al fin y al cabo, la idea era tentadora. Ya no tenía que luchar contra las tentaciones sino entregarse a ellas.

Meifen comenzó a comer todo lo que se le antojaba. Al principio no sabía cuáles eran los alimentos que le gustaban aparte de los dulces. Llevaba años intentando comer sano y ahora tenía la tarea de comer por placer. Poco a poco descubrió los deliciosos sabores de muchos alimentos.

El Emperador y la Emperatriz ya estaban acostumbrados a todo esto. Sabían que, a veces, la princesa se cuidaba siguiendo un régimen, pero enseguida comía sin control. Los médicos la regañaron por saltarse las pautas saludables de la dieta medica, pero al ver la indiferencia de la princesa se dieron por vencidos. Cuando los médicos se quejaban ante el Emperador, él les decía que debían tener paciencia con la princesa.

*　*　*

Al cabo de dos semanas, la princesa Meifen volvió a la fuente. El monje estaba sentado debajo de un árbol sumido en una profunda meditación. Parecía una estatua de Buda.

De repente, la respiración acelerada de Meifen le arrancó de su contemplación. El monje abrió los ojos y esbozó una sonrisa.

El monje se levantó y se acercó a la fuente. Bebió de las aguas cristalinas y sacó de su bolsillo dos manzanas. Las lavó y ofreció una a la princesa.

Meifen estaba muy emocionada y deseaba contar lo que había pasado con la primera indicación del monje.

—Hice exactamente como me habías instruido —dijo Meifen—, pero debo decir que ha sido algo difícil al principio. Los primeros días empecé a comer con miedo, pero no falté a mi promesa y seguí tus consejos al pie de la letra.

—¿Cómo reaccionaron los demás?

—Los médicos pensaban que había enloquecido. Han pedido a mi padre que impida mi «suicidio» porque, según ellos, me estaba matando con tantos alimentos prohibidos. Yo comía pensando que a lo mejor debo engordar más antes de poder adelgazar. Pensé que tu consejo me hacía engordar como una vaca para crear en mí un dolor tan fuerte como para dejar de comer los alimentos prohibidos. Pero…

—Pero…

—Pero no ha pasado nada de eso. Me refiero a que sí, he engordado un poco, pero es que estas dos semanas he estado comiendo como nunca. He comido todo lo que no debería.

—¿Y qué tal os sentisteis? ¿Culpable? ¿Comisteis con ansia? ¿Con remordimiento?

—No. Era algo diferente. Nunca he comido con tanto placer en mi vida. Era una experiencia única. Me sentí aliviada, liberada de una gran carga. No me sentí nada culpable, al fin y al cabo estaba obedeciendo las indicaciones de un hombre santo.

El monje hizo un gesto.

—Sé que dices que no eres un santo, pero para mí sí lo eres.

—De modo que estas dos semanas, a pesar de comer todo lo que quisisteis, no habéis engordado tanto como temíais.

La princesa asintió con satisfacción.

—Además —continuó el monje—, os sentisteis feliz porque os habéis librado de las prohibiciones y de las ansias. Permitidme que os haga una pregunta: ¿tuvisteis que luchar contra las tentaciones?

—No, no tuve ninguna tentación.

—Por eso os sentisteis tan liberada. Reflexionad por un momento. ¿Qué hizo desaparecer las tentaciones?

El monje se quedó en silencio a la espera de la respuesta de Meifen.

—A lo mejor no hubo tentaciones porque no quería adelgazar.

—Sí, es cierto, pero la clave ha sido una palabra.

—Me dijiste que estaba «prohibido» adelgazar.

—Eso es. La palabra «prohibido» está cargada emocionalmente. Es una de esas palabras que corta como un cuchillo. Las prohibiciones despiertan una actitud de rebeldía en nosotros. De modo que cuando alguien nos prohíbe algo, paradójicamente, intensifica el deseo de la cosa prohibida.

—Eso es verdad —afirmó Meifen—. Basta con decirle a un niño que no toque algo para que quiera jugar con ello.

El monje asintió y esbozó una sonrisa.

—Hace unos siglos —continuó el monje— dos familias poderosas querían que el hijo de la una se casara con la hija de la otra para fortalecer su influencia y riqueza. Pero los jóvenes no demostraban ningún interés particular el uno hacia el otro. Los padres recurrieron a un sabio, quien les aconsejó una estratagema: prohibir cualquier contacto entre los dos jóvenes. Los padres, siguiendo la indicación del sabio, comunicaron que, si les encontraban hablándose entre ellos, les castigarían con severidad. Gradualmente, los dos jóvenes empezaron a verse en secreto. Los padres los vigilaban y observaban el progreso de su relación secreta. A los pocos meses, los jóvenes se habían enamorado. Cuando el muchacho comunicó a sus padres que quería casarse con la joven, fue castigado. Después de un largo tiempo, durante el cual los padres de ambos respondían con un «no» tajante a sus hijos, sin ninguna demostración de entusiasmo, dieron su permiso para el matrimonio. Los jóvenes vivieron un amor apasionado y ambas familias incrementaron su poder con esta unión.

—¡Qué historia tan fascinante! —dijo Meifen con una sonrisa—. Ahora lo entiendo. Si puedo comer todo lo que deseo, elimino las tentaciones.

—Claro. Cuando los alimentos están permitidos y no hay nada que esté prohibido, no hay tentación. Cuando os prohibís algo generáis la tentación. Al rendiros a todas las tentaciones, habéis podido vencerlas. Aunque suene paradójico, es cierto. La medida habitual es la de esforzarse para resistir y luchar contra el deseo. Pero al dejarse llevar por las tentaciones, las ansias desaparecen.

—¡Qué cargadas de verdad están tus palabras! —exclamó Meifen con admiración. Han sido las dos mejores semanas de mi vida. Lo he disfrutado plenamente.

—¿Qué os dijo el Emperador?

—Mi padre es un hombre sabio y me defendió ante los médicos de la corte. Me dijo que nunca me había visto tan feliz.

—Permitidme explicar este primer paso exitoso con las palabras de mi maestro espiritual Lao Tse. Mi maestro dijo:

> *«Para reducir la influencia de algo, auméntala primero. Para debilitar algo, tienes que fortalecerlo primero. Para conquistar algo, debes rendirte a ello primero».*

El monje continuó:

—Lao Tse afirma que «lo blando vence a lo duro».

—Lo blando vence a lo duro —repitió Meifen pensativa.

—Vuestra actitud ante la lucha contra la obesidad era rígida, pero como nos enseña el sabio Lao Tse, lo blando triunfa sobre lo duro. El agua, la más blanda de todas las cosas, vence a lo más rígido. El agua sabe cómo beneficiar a todas las cosas sin luchar contra ninguna. Nada en el mundo es más blando que el agua, mas no hay nada como el agua para erosionar la roca.

El monje se acercó a la fuente, bebió unos sorbos y después de una pausa prosiguió:

—¿Os acordáis de cuando empezásteis a aprender a montar a caballo?

—Sí, estaba asustada y nerviosa.

—Decidme, ¿recordáis en qué estado se encontraba vuestro cuerpo?

—Creo que, por el miedo, estaba tenso.

—Tenso y rígido porque teníais miedo a caeros y porque queríais controlar al caballo. Y ahora, ¿cómo está vuestro cuerpo cuando montáis a caballo?

—Muy relajado. Gozo de la sensación de galopar y disfruto del viento en mis cabellos.

—Ahora disfrutáis y manejáis el caballo a la perfección porque vuestro cuerpo está relajado. Estáis tranquila y os dejáis llevar. De este modo ejercéis el control sin controlar.

—¿Qué más dijo Lao Tse? —preguntó Meifen con entusiasmo.

—El gran maestro dijo:

«Tensa un arco hasta su límite y pronto se romperá; afila una espada al máximo y pronto estará mellada. Lo femenino y lo blando conquista a lo masculino y lo duro mediante la placidez».

—Mirad vuestro carruaje real —exclamó el monje—. ¿Veis las ruedas? Curiosamente, del agujero del centro de la rueda depende su uso. Lo vacío es más valioso que lo lleno.

—Pero ¿cómo es posible que los más competentes médicos del reino desconozcan este principio? —preguntó Meifen con perplejidad.

—El camino verdadero es llano y recto, pero la gente prefiere senderos tortuosos y difíciles.

—Entonces, ¿debo dejar de preocuparme por adelgazar? ¿Debo dejar de esforzarme?

—Quien empuña un sable con demasiado esfuerzo, lo pierde. Quien se aferra a cualquier cosa, la perderá. Para alcanzar el éxito hay que actuar sin esfuerzo ni ansia. Para libraros de vuestra obesidad, debéis dejar a un lado el esfuerzo y la preocupación.

Las palabras del monje sosegaban el alma de Meifen.

—Desde hace demasiado tiempo —continuó el monje— habéis estado realizando excesivos esfuerzos para perder peso. Os habéis prohibido algunos alimentos como los dulces y bizcochos del cocinero del palacio. Habéis reprimido el deseo de comer lo que os apetece y os habéis esforzado por seguir los consejos de los médicos de la corte. Sus consejos consistían en no comer ciertos alimentos y seguir unas pautas sanas, según los principios del yin y el yang y los cinco elementos.

—¿Acaso yerran en sus consejos? —indagó Meifen.

—No. Todos los regímenes son eficaces, pero siempre a corto plazo. Ninguno, aunque sea el más sano y equilibrado, puede aportar el equilibrio y la moderación. Todos estos regímenes llevan en su seno la semilla del fracaso porque están basados en el esfuerzo y el sacrificio.

Querida princesa, habéis realizado un esfuerzo para seguir los consejos médicos sin éxito. Después de haberlo intentado repetidas veces os habéis dado por vencida. Ahora os consideráis una mujer débil porque os falta la voluntad. En realidad, no os falta la fuerza de voluntad. Nadie puede resistirse a la tentación. La clave es no tener que enfrentarse a las tentaciones. Es mejor ganar sin luchar.

—La mejor manera de vencer las tentaciones —subrayó Meifen— es rendirse a ellas.

—Efectivamente. Permitidme recapitular lo que habéis aprendido hasta ahora:

Para ejercer la maestría y el control sobre algo, antes debéis dejaros llevar. Si lucháis con afán para controlar vuestros deseos, tarde o temprano perderéis el control. Si reprimís el deseo de algo, se convertirá en un ansia inevitable.

El monje hizo una pausa, cerró sus ojos. Después de una respiración profunda los abrió y con una sonrisa continuó.

—Si reprimís el deseo será como intentar frenar un caballo salvaje colocándoos delante de él. Es mejor domarlo. Por lo tanto, evitad reprimir el deseo.

—El deseo es como un caballo salvaje —repitió Meifen—. No puedo detener su paso, pero puedo domarlo y de esta manera estará a mi servicio.

—Efectivamente —afirmó el monje.

El monje hizo una pausa y volvió a cerrar los ojos para explorar entre sus recuerdos infantiles. Al cabo de unos segundos continuó:

—Una noche de verano estaba sentado con mi abuelo alrededor de una hoguera. Mi abuelo me preguntó: «¿Sabes cuál es la distancia más larga en el universo?». Yo tenía apenas ocho años y no supe qué decir. El abuelo dijo: «La distancia más larga no está entre nuestra aldea y la montaña más lejana. La distancia más larga tampoco está entre este fuego y la estrella más distante». Hizo una pausa y me miró directamente en los ojos y me dijo: «La distancia más larga está entre la mente y el corazón».

»Mi abuelo me explicó que la infelicidad se genera cuando la mente dicta una cosa mientras que el corazón desea lo opuesto. Los humanos sufren cuando la razón ordena algo y el corazón anhela justo lo opuesto. La lucha entre la mente y el corazón es un desgaste de energía y genera intranquilidad.

—Yo creo que todos sufrimos de esta incongruencia —dijo Meifen—. ¿Cuál es el remedio?

—Para armonizar el dictamen de la mente racional y el deseo del corazón pasional hay que actuar con sabiduría. En primer lugar, debemos respetar y reconocer el valor de ambas partes. En vez de librar una batalla entre una u otra, es preferible utilizar el poder de cada una a nuestro favor.

»Generalmente, cuando la gente quiere realizar un cambio en su vida, intenta racionalizarlo. Cree que la razón puede vencer al deseo. Pero la carga visceral de un deseo pasional es como el animal enloquecido que destruye todo lo que se interpone en su camino. Si una persona intenta detener a una bestia furiosa se hará daño a sí mismo.

»De modo que, cuando surge el deseo de comer dulce, evitad frenarlo con la fuerza de voluntad y la razón. Podéis utilizar la mente para guiar el rumbo del deseo. De esta manera los pensamientos preparan el camino donde la fuerza del deseo puede fluir para beneficiarnos.

—Entiendo —dijo la princesa—. La mente racional no debe juzgar, sino liderar. Bajo su liderazgo el deseo no destruye nada.

—Efectivamente. Un toro goza de mucha fuerza y puede tirar de un carro mientras que el dueño indica el camino.

—Yo siempre consideraba el deseo como algo negativo, algo que hay que reprimir y aplastar con fuerza de voluntad. Pero he aprendido a gestionar los impulsos de mis deseos y de los placeres de la comida.

—Si os negáis u os prohibís algo, incrementaréis el ansia de quererlo —repitió el monje—. Si queréis rechazar algo, antes lo debéis aceptar. Cuando aceptáis todo como permitido entonces seréis capaz de rechazarlo. Si os lo prohibís, se convierte en algo inevitable. El Tao dice que todo es bueno. Cuando creáis una división entre las cosas, generáis sufrimiento. Cuando os prohibís algo sufrís porque la fuerza de la dualidad eterna de yin y el yang os empujará a desear más el objeto que intentáis rechazar.

—Aún tengo algo de miedo —reconoció la princesa—. Temo que mi deseo de comer sea incontrolable.

—Si deseáis libraros del sufrimiento, evitad considerar los alimentos como malos, insalubres o prohibidos. Permitid que sea vuestro propio cuerpo quien decida qué comer y cosa evitar. Mirad a los animales en el campo. Ellos están en armonía con la naturaleza. El instinto de su cuerpo los guía hacia los alimentos. Este es vuestro objetivo: comer de todo con moderación y poder ejercer un control sobre los alimentos sin esfuerzo.

—Me pides que tenga confianza en mí misma. Estoy acostumbrada a escuchar los dictámenes de las reglas y las pautas dietéticas. No sé si seré capaz de llegar a poder comer con moderación sin prohibirme nada.

—Entiendo vuestras dudas. Por esta razón esta primera fase es una práctica, un periodo de entrenamiento para poder cambiar vuestra relación con la comida. Seguid mis instrucciones.

El monje sonrió y puso sus manos en los hombros de la princesa.

—Recordad —le advirtió el monje—, evitad hablar de mí o de mis métodos a los demás. Mucha gente intenta ayudaros con buenas intenciones, pero a menudo las buenas intenciones nos llevan al precipicio. Cuando hayáis llegado a vuestra meta, entonces podéis, si lo deseáis, contar vuestra experiencia.

—Dime los siguientes pasos —dijo Meifen con impaciencia.

—Antes de deciros las siguientes tareas, es mi hora de entrenamiento. Si lo deseáis podemos hacerlo juntos. ¿Os animáis a seguir mis movimientos de taichí?

8

El entrenador personal de famosos

Miguel era un hombre encantador, simpático, hablador y muy educado. Pero lo que impactaba a primera vista era su físico. Una camiseta ajustada de color negro marcaba sus pectorales y brazos musculosos.

—Estoy preparando un reportaje sobre el sobrepeso y cómo adelgazar. Sé que el ejercicio físico ayuda...

—... No es una ayuda —la interrumpió Miguel—. ¡Es imprescindible!

—Efectivamente, y por esta razón me gustaría hacerte algunas preguntas al respecto.

Miguel esbozó una sonrisa y asintió con la cabeza.

—¿El ejercicio es realmente imprescindible para adelgazar? —preguntó Julia.

—Efectivamente. Llevar una dieta equilibrada y baja en calorías es importante, pero no basta. El cuerpo necesita moverse. Unos músculos firmes nos dan un aspecto más saludable y protegen mejor la estructura ósea del cuerpo. Al ejercitar el cuerpo, la sangre transporta mayor cantidad de oxígeno a los músculos, aumentando así su capacidad de trabajo. En pocas palabras, el ejercicio mejora el funcionamiento del sistema cardiovascular y previene enfermedades coronarias.

—¿Hay algunos consejos que me puedes dar?

—En primer lugar, hay que visitar a un médico para que compruebe tu estado de salud. Una vez que el profesional sanitario te da su aprobación, puedes empezar una actividad física. Es aconsejable empezar a un ritmo moderado durante unos 15 minutos y cada semana incrementar unos 5 minutos hasta llegar a tres cuartos de hora.

—¿Qué más?

—Hay que recordar las tres partes de una actividad física: el ejercicio cardiovascular, el entrenamiento muscular y los estiramientos. Para el trabajo cardiovascular o aeróbico, como andar, correr bicicleta estática, hay que calcular el ritmo cardiaco apropiado para ti. Puedes empezar con 70 pulsaciones por minuto y gradualmente incrementarlo a 130. La parte de musculación también se realiza de forma gradual. Primero empiezas con pesas muy ligeras y cada dos o tres semanas vas incrementado. Debes finalizar el entrenamiento con estiramientos para prevenir posibles agujetas o lesiones.

—¿Y la dieta qué?

—Bueno, yo no suelo dar una dieta como una dietista o un endocrino. Suelo dar unas pautas a seguir para complementar el trabajo en el gimnasio.

—¿Cuáles son tus pautas?

—En primer lugar, hay que evitar comer solo tres veces. Los médicos también aconsejan comer cinco veces al día. Cuando comes varias veces al día, hay un incremento en la temperatura del cuerpo. Esto significa que el cuerpo quema calorías para digerir los alimentos que has comido. Por consiguiente, cuando comes a menudo pequeñas cantidades de comida, quemas más. Hay que buscar el equilibrio entre proteínas e hidratos de carbono. Debemos evitar los desayunos que son exclusivamente féculas. Los dulces están totalmente prohibidos.

—¿Me puedes dar un ejemplo?

—Veinticinco gramos de cereales, un huevo cocido, zumo de naranja, café o infusión. A media mañana una fruta y café o té. En la comida hay que evitar el exceso de hidratos de carbono blancos como patatas, arroz, pasta o pan. Hay que empezar siempre con un plato de verduras y ensalada. El segundo plato puede ser treinta gramos de pasta o arroz. Además, debemos añadir algo de proteína cocida o a la plancha. Cuidado con el exceso de fruta. El postre puede ser un yogur desnatado. La merienda una fruta o un pequeño sándwich integral con pavo. Hay que tener mucho cuidado en las cenas. Hay que evitar los hidratos de carbono y la fruta. Primer plato siempre sopa sin grasa o ensalada. Segundo plato pescado hervido o a la plancha y de postre solo leche o yogur desnatado. Hay que evitar el azúcar a toda costa y utilizar edulcorantes. ¡Ojo con la salsa de la pasta! Reducir el consumo del pan, incluido los integrales. ¡Ojo con las patatas, porque retienen líquido en el cuerpo! Realizar unas cinco comidas pequeñas cada tres o cuatro horas.

—Me parece complicado pesar la comida.

—Al principio puede costar un poco, pero enseguida calculas las cantidades a ojo. De esta manera podemos determinar la cantidad correcta.

—Todavía creo que es difícil y las personas no sabrían la medida justa de los alimentos.

—Bueno, una manera de saber la cantidad suficiente es la siguiente: los carbohidratos no deben ser más que los que quepan en tu puño cerrado y las carnes según la medida de la palma de tu mano.

—Un problema que he notado con la gente que empieza una dieta o una actividad deportiva para adelgazar es que lo abandona después de poco tiempo. ¿Qué remedio propones para seguir con el ejercicio?

—Has dado en el clavo. La motivación es la clave. La mayoría me dicen que quieren adelgazar por razones de salud, pero yo sé que muchos de ellos están más preocupados por la estética.

—Así que la salud o la imagen...

—Obviamente, en la mayoría de los casos hay una combinación de las dos, pero lo que más motiva a la gente a seguir un entrenamiento es mejorar el aspecto físico. Yo les ayudo a mantenerse motivados recordándoles que se librarán de la barriga o de la celulitis.

—Para terminar, ¿qué dirías a los lectores de este reportaje?

—Les recordaría los beneficios del ejercicio físico:

1. Una mejora del funcionamiento del sistema cardiovascular. El corazón, que es el músculo más importante en nuestro cuerpo, no acumulará grasa, se reduce la tensión arterial y mejora la eficacia del bombeo de la sangre.

2. Habrá una mejora en la capacidad respiratoria. La musculatura que controla los pulmones se fortalece y habrá una economía de esfuerzo.

3. Los músculos tonificados protegen mejor los huesos. Además, se fortalecen los huesos y esto los hace más resistentes.

4. Se reduce el estrés y hasta hay una sensación de euforia porque la actividad física estimula la producción de endorfinas. El efecto sedante es parecido a un tranquilizante.

5. Retrasa el envejecimiento. Una actividad física regular combate el envejecimiento de las células.

6. Mejora el aspecto físico. Un aspecto saludable y esbelto aumenta la autoestima.

Julia le agradeció la información y se despidió de Miguel. Tenía un par de horas para comer antes de hablar con Marga Gómez, una antropóloga conocida por su excentricidad y vastos conocimientos.

9

El Segundo Paso

El monje bebió un poco de agua con gran placer. El gozo en su semblante estimuló la sed en la princesa. Los dos se sentaron en silencio mientras que Meifen disfrutaba de unos sorbos del agua cristalina de la fuente.

—Ahora —dijo el monje— habéis empezado a recuperar el placer de comer y os habéis librado del ansia. No hay nada prohibido ni malo en el mundo. Todas las cosas tienen sus beneficios.

—Me acuerdo —interrumpió Meifen con entusiasmo— de que uno de los médicos curó una enfermedad de mi padre, el Emperador, con una gota de veneno.

—Efectivamente, hasta los venenos, en su justa medida, pueden beneficiar al cuerpo. Pero nadie se prohíbe a sí mismo ingerir venenos. Todos sabemos que hay que evitarlos. Por lo tanto, los dulces, según los médicos que os han examinado, son como veneno para vuestra constitución; no están prohibidos, pero es mejor evitarlos.

—Lo curioso ha sido que durante este tiempo en que me he permitido comer de todo —enfatizó Meifen—, incluso pasteles, algunos días no me apetecían. No tuve ansia. Por primera vez en mi vida pasé por delante de ellos y su aroma ya no me seducía. Era una experiencia rara.

—Una experiencia rara —interrumpió el monje—, pero maravillosa.

—Sí, y estoy ilusionada por seguir tus consejos. ¿Cómo puedo curar mi obesidad?

—No he olvidado vuestro problema. Prefiero que deis pasos de tortuga que saltos de liebre. Ahora podéis poner en práctica el segundo principio: la moderación. Hasta ahora habéis seguido dos polaridades opuestas: comer en exceso con ansia o privaros de los placeres de la comida. ¿Cuál sería el camino medio?

—No sé cuál sería la alternativa. ¿Comer menos?

—Sí, pero de una forma ordenada. Hay que evitar controlar y resistir el deseo. El deseo es un impulso sano y puede llegar a ser tremendamente fuerte. El deseo es como un torrente poderoso que arrasa todo lo que está en su camino. ¿Sabéis qué suelen hacer para controlar la fuerza del agua?

—Supongo que una manera de frenar el agua es construir un dique.

—Sí, los diques sirven para este propósito. Hay un dique famoso en toda China: el Taishan. Durante varios años, he vivido cerca de este dique, que está situado en el suroeste del distrito de Yinxian.

El monje hizo una pausa para recordar mejor.

—El dique de Taishan —prosiguió— se construyó para paliar los desbordamientos del río Fengjiang. Aunque las aguas del río llevan más de mil años empujando y golpeando el dique de Taishan, este sigue manteniendo su aspecto original.

El monje se puso de pie como si quisiera explicar los detalles del dique a una gran audiencia.

—Este dique tiene una anchura de cinco metros y una longitud de cien metros —especificó el monje—. Está construido por maderos y grandes bloques de piedra. Los ingenieros pensaron que, a pesar de su tamaño monumental, hacían falta unos agujeros para hacer pasar el agua y de esta forma debilitar su empuje contra el dique. De modo que continuamente el agua pierde su fuerza sin perder su utilidad. A pesar de su anchura de cinco metros y del peso de las piedras, que llegan a cien kilos, la fuerza del agua destruiría este dique si no fuera por estos agujeros. Recordad que el agua es el elemento más poderoso de la tierra. No podemos parar el agua, pero podemos debilitarla y utilizar su fuerza a nuestro favor.

—He oído hablar de este dique —añadió la princesa—. Es una maravilla arquitectónica.

—Este dique tiene una manera de canalizar el agua en cantidades controladas. Unas válvulas de escape sirven para esta función. El agua se dirige en canales para suministrarla a la ciudad, irrigar los cultivos y también llega a las turbinas para generar energía hidráulica y hacer funcionar los molinos de harina.

—¡Es fascinante! —exclamó Meifen—. Pero aún sigo sin entender cómo puedo aplicarlo a mi problema.

—Durante dos semanas habéis comido todo lo que os ha complacido. Habéis descubierto el placer de comer y os habéis liberado del ansia. Ahora, para controlar la fuerza del deseo podéis construir «diques» flexibles para debilitar la fuerza del apetito sin esfuerzo y sin sufrimiento.

—¿Esto me ayudará a evitar perder el control y volver a comer en exceso?

—Sí, mi joven princesa. Durante las próximas tres semanas, comed buscando el placer en las comidas, pero únicamente en las tres comidas principales. La moderación es como el hilo de seda de vuestro collar de perlas. Sin la moderación, los grandes placeres generan los mayores dolores. Al mismo tiempo, reflexionad cada día sobre de qué manera se puede intensificar el placer.

—¿Cómo puedo incrementar el placer?

—Precisamente esta será una pregunta que os debéis hacer cada día porque vuestra tarea es la búsqueda de placer y la acentuación del mismo.

—¿Me puedes dar un ejemplo?

—La abstinencia parcial incrementa el placer. Si coméis a menudo los alimentos más placenteros...

—Los caprichos... —le interrumpió Meifen.

—Sí, caprichos como los dulces. Si los coméis con demasiada frecuencia cansáis vuestro paladar y, por consiguiente, perderéis la intensidad de los sabores.

—Lo entiendo. Al evitar un alimento durante varios días puedo intensificar el placer cuando me lo concedo después de este lapso de tiempo.

—Exacto. Para poder sacar el máximo provecho de un alimento, como los pasteles, podéis esperar unos días. El día que comáis dulce, vuestro paladar tendrá un pequeño festín.

—Claro, la espera amplifica el placer.

—La anticipación y el tiempo de espera hace que la experiencia sea más placentera. Los monjes comemos poco. Nuestro cocinero prepara platos variados y disfrutamos al comer. Aunque soy un monje budista, disfruto del placer de la comida. La naturaleza nos da vida a través de los nutrientes. Disfrutar de ello es una forma de agradecimiento a la madre Tierra. Pero como monjes, sabemos que si comemos demasiada cantidad y muy a menudo, el paladar perderá su sensibilidad. Cuando pasamos algunas horas sin comer, generamos la anticipación del placer. Por ejemplo, me apasiona el sabor del queso de cabra. Como solo una pequeña cantidad una vez a la semana. Si lo comiera todos los días, mi paladar perdería la sensibilidad a su sabor y no podría sacar el máximo provecho y apreciar todos sus matices.

—A mí me encantan los dulces —dijo Meifen—. Así que ¿si como solo una vez a la semana una pequeña cantidad lo disfrutaría más?

—Así es. Comer demasiado y a menudo atrofia el paladar. Vuestro objetivo es aumentar el placer.

—¿Y si entre comidas algo me tienta? —preguntó Meifen, preocupada.

—Dudo que tengáis tentaciones.

—Quiero decir que si veo algún pastel o huelo el aroma de algo dulce, ¿qué hago?

El monje esbozó una sonrisa tranquilizante y prosiguió:

—En primer lugar, evitad luchar contra el deseo. Pensamientos imperativos como: «No debo comer ahora» o «Debo resistir» no hacen más que incrementar el antojo. Es mejor pensar: «Puedo ceder, pero no quiero porque no lo necesito».

—Puedo ceder, pero no quiero porque no lo necesito —repitió Meifen.

El monje continuó:

—Durante una semana seguid comiendo todas las cosas que os aporten placer. Pero debéis escribirlas. Debéis escribir cada cosa que vais a comer en un papel el día anterior. Por tanto, planificad el placer y comed única y exclusivamente las cosas que habéis escrito. Durante unos minutos fantasead acerca de los alimentos en vuestra lista. Imaginad los sabores e visualizar en vuestra mente todos los alimentos sin límite de cantidad. Fantasear con el placer de comerlos. Pero solo los alimentos que habéis escrito en vuestra lista. Y evitad el resto. Si se os presenta la oportunidad de comer algo ofrecido por alguien, evitadlo, porque no está en el plan. Evitadlo porque no lo habéis decidido ni dedicado tiempo para fantasear con él. Siempre podéis incorporar ese alimento para el día siguiente. Pero antes debe estar por escrito.

Meifen se despidió del monje con entusiasmo para seguir el siguiente paso hacia el objetivo de lograr un cuerpo esbelto.

10

La antropóloga

Marga Gómez era una mujer con carisma. De unos cincuenta años, sus ojos azules y su mirada penetrante ejercían un efecto hipnótico en su interlocutor. Las arrugas de su cara eran testigos de años vividos intensamente bajo el sol africano entre varias tribus.

Su carisma, fruto de una combinación de sentido del humor, calidez humana e ingenio, se había ganado al público televisivo. Siempre llevaba algo de culturas exóticas como accesorio. Hoy se había puesto una especie de turbante de tipo africano.

Julia se presentó en el estudio de Marga, que le dio un caluroso abrazo. Julia observó objetos que solo podría encontrar en el despacho de una antropóloga: amuletos para rituales, mascaras, velas, estatuas diminutas de piedra, objetos artísticos hechos de madera y un sinfín de fotografías de sus viajes.

Julia encendió su grabadora y empezó con la primera pregunta:

—Todas las mujeres quieren adelgazar. ¿Por qué este afán de tener un cuerpo delgado?

—A partir de la mitad de la década de los noventa empezó un frenesí masivo por llevar una vida saludable —explicó Marga—. Lo que antes se comía con gusto y satisfacción ahora, si no tiene algún nutriente añadido, no se considera un alimento sano.

»Antes estábamos felices con nuestras compras en los super-mercados. Había yogur natural, desnatado y azucarado. Si que-rías comprar huevos había huevos normales o de pollos criados al aire libre en una granja. Había tres variedades de leche de vaca: desnatada, semidesnatada y natural. En los años ochenta y noventa, todos disfrutábamos de estos productos sin quejarnos ni ponernos enfermos por no consumir alimentos enriquecidos. An-tes era fácil hacer las compras, pero ahora, con tantos productos, no sabes cuál es cuál.

»En los años sesenta y setenta los alimentos se publicitaban por ser «sin» aditivos, «sin» colorantes. Ahora los alimentos que más se venden son aquellos que llevan «con», como «bífidus», «calcio», «fibra», etc.

»Cuando se desató la furia de los alimentos enriquecidos con la fiebre de comer solo «lo sano», no cesaron de aparecer pro-ductos nuevos. La industria alimenticia se ha aprovechado de este tirón y añade a sus productos minerales, vitaminas y fibra por nuestro bien.

»¡Ahora en las estanterías de los supermercados te topas con huevos de gallinas alimentadas con una dieta rica en Vitamina E y Omega 3!

—¿No sería mejor —dijo Julia— consumir estas vitaminas en vez de dárselas a gallinas?

—Aparte de los huevos enriquecidos con vitaminas, tenemos leche con ácidos grasos, cereales con fibra, yogures con bífidus, y otros lácteos que bajan el nivel de colesterol. El argumento de los fabricantes es que la mayoría de las personas tiene una dieta pobre en vitaminas y minerales y, por lo tanto, hay que añadir sustancias que benefician al organismo y le protegen de los ma-les como el colesterol y la obesidad.

—La industria alimenticia —puntualizó Julia— insiste en que estos alimentos llamados «funcionales» ayudan a prevenir las enfermedades.

—Claro, porque no está dispuesta a renunciar a este pastel goloso ya que el volumen del negocio de alimentos funcionales es de 3 000 millones de euros. Y, según las previsiones, esta fiebre de lo sano crece cada año.

»En vez de comer lo que el cuerpo te pide, la gente come lo que la publicidad promociona. Para muchos, comer unas hamburguesas equivale a un pecado imperdonable.

»Los alimentos denominados *light* engañan. Por ejemplo, en las etiquetas de las galletas *light* lees que no llevan azúcar, pero en la lista de ingredientes, después de la harina, aparece «fructosa». La gran mayoría de la gente asume que se trata de un derivado de la fruta, pero la fructosa es azúcar.

»En la mayoría de productos *light* o bajos en calorías, los lípidos son sustituidos por hidratos de carbono, lo que hace que nuestro cuerpo almacene grasa. La mayoría de la gente no sabe que las calorías almacenadas —no importa si provienen de proteínas, lípidos o hidratos de carbono— producen grasas. Si antes las mujeres no bebían agua por el temor a engordar, ahora se esfuerzan en beber dos o tres litros al día porque los expertos aconsejan que es bueno para la salud y, además, ayuda a adelgazar.

—Pero beber es bueno —afirmó Julia.

—Beber demasiada agua puede ser peligroso.

—¿Peligroso? —exclamó Julia— ¡Pero todos los profesionales sanitarios aconsejan beber varios litros de agua al día!

—En los últimos diez años, varias mujeres murieron por haber bebido demasiada agua. Una gran cantidad de líquido provoca una dilución excesiva de la sangre y de los microcomponentes en las células y por consiguiente puede producir graves problemas a nivel cerebral y cardiaco.

—Casi todas las mujeres se han sometido a dietas para controlar su peso. La gran cantidad de revistas especializadas sobre el tema es una evidencia clara de esta inquietud.

—¿A qué se debe esta preocupación por el peso entre las mujeres? —preguntó Julia.

—Se debe a numerosos factores. En primer lugar, las modelos extremadamente delgadas que desfilan sobre las pasarelas exhiben unas tallas artificiales para las mujeres de verdad. Los diseñadores ignoran la realidad de que las mujeres adquieren curvas a medida que superan acontecimientos claves de la vida como la pubertad, el embarazo y la menopausia.

»Pregunta a cualquier hombre y te dirá que no encuentra sexis a las modelos de pasarela. A los hombres les gustan las curvas y no una mujer con sus huesos visibles. Por esta razón todas las mujeres que aparecen en las revistas eróticas tienen curvas.

—Las mujeres debemos librarnos de esta imagen artificial e inventada —dijo Julia—. ¡Marilyn Monroe, que usaba una talla 44, aún seduce a los hombres de hoy!

—El culto a la delgadez tiene un efecto paradójico: cuantos más cánones estrictos y rígidos existan, mayor es el problema de sobrepeso y trastornos alimentarios como la anorexia y la bulimia. Cuanto más alejados estén los estereotipos de belleza de la realidad femenina, más dificultad tendrá la sociedad para solucionar el problema.

»Otro factor que contribuye al problema es la confusión que existe entre los profesionales sanitarios. Cada profesional, sea médico, endocrino, dietista o nutricionista, dicta una dieta como la mejor para adelgazar. A menudo, la dieta de un endocrino es contraria a la de otro profesional igualmente cualificado.

»Un médico receta una dieta de proteínas, mientras que otro receta una basada en hidratos de carbono y otro defiende una vegetariana. Un médico prohíbe unos alimentos, mientras que otros reducen la cantidad de los alimentos en general.

—¿Qué me dices de las dietas? —preguntó Julia.

—Las promesas de estas dietas enganchan.

—Sí. Los anuncios de estas dietas son seductores porque prometen el sueño dorado de cualquier mujer:

«Una dieta rápida de tres días que permite perder 3 kilos o más».

«Esta es una dieta de emergencia que te hará reducir 2 kilos al día.»

«Nuestra dieta exclusiva le asegura perder 5 kilos en siete días.»

—Son promesas tentadoras —dijo Julia—. ¿A quién no le tienta la idea de adelgazar de 3 a 5 kilos en pocos días?

—Estos anuncios tocan la fibra más débil de la gente que quiere adelgazar. Quien ha intentado adelgazar varias veces sin éxito está impaciente por ver el resultado. Por esta razón, un anuncio que promete resultados inmediatos es irresistible.

—Todas estas dietas de adelgazamiento rápido —subrayó Marga— consisten en hacer ayuno, algo parecido a cuando una cae enferma con una fiebre de caballo en la que no puedes ingerir nada. Solo beber y sufrir. Después de tres días te das cuenta de que has adelgazado entre 2 y 3 kilos. Pero unos días después recuperas tu salud y empiezas a comer como antes. En seguida tu peso vuelve al normal y recuperas los kilos que habías perdido durante los días de enfermedad.

—El mismo proceso ocurre con estas dietas rápidas. Pierdes peso a base de hambruna. Cuando ya no soportas más pasar hambre, vuelves a comer y ¡voîlà!: peso perdido, peso encontrado.

—Si te parece, repasamos algunos de los remedios «milagro».

—De acuerdo.

Bebidas adelgazantes

Estas bebidas resultan muy caras, ya que normalmente se tarda entre cuatro y cinco meses en acabar el plan. En general, las dietas muy bajas en calorías nunca se deben hacer sin la vigilancia de un médico. Estas dietas son apropiadas para personas con obesidad mórbida y sus efectos secundarios pueden ser: mareos, fatiga, calambres musculares, pérdida de pelo y diarrea. Al final de la dieta, muchas personas vuelven a comer como antes de la dieta y recuperan el peso perdido. Además, beber líquidos como sustituto de comidas conlleva una carencia importante de alimentos esenciales para el organismo.

Pastillas quemagrasa

Estas pastillas o cápsulas prometen quemar la grasa del cuerpo. Es completamente erróneo pensar: «Ya puedo comer comida grasa porque me tomo una pastilla quemagrasa». Hasta el momento no existe ninguna sustancia (cápsula, hierbas, píldoras, etc.) que pueda impedir la absorción de grandes cantidades de grasa.

Bebida a base de hierbas

El reclamo argumenta que los antiguos han utilizado este método durante siglos para eliminar grasa y que ahora está al alcance de la mujer de hoy. Hay especies de hierbas que ayudan al intestino a limpiarse de algunos de los tóxicos, pero no tiene nada que ver con la pérdida de peso. Si es una hierba laxante pierdes agua, nada más.

Productos saciantes

Hay también pastillas que, según los anunciantes, una vez ingeridas absorben líquido y se hinchan en el estómago para reducir el apetito. En pocas palabras: ¡es mentira!

Ropa adelgazante

Según su reclamo publicitario, la faja elimina la grasa ya que hace sudar. Sudar en exceso te hace perder mucha agua. Al día siguiente ya recuperas el agua perdida.

Estimuladores musculares eléctricos

Se trata de aparatos que tonifican tu cuerpo. Te pueden ayudar a relajar zonas con una contractura muscular o tonificar los músculos debajo de la grasa, pero no van a quemar la grasa.

Jabones adelgazantes

Según te cuentan, el jabón abrirá los poros de la piel, eliminará las toxinas y la grasa desaparecerá. Es verdad que la grasa está acumulada debajo de tu piel. Pero la piel tiene cuatro capas y la grasa está almacenada en células en la parte subcutánea de la piel. Con estos jabones vas a tener una piel limpia, pero eso es todo.

Cremas adelgazantes

Estas cremas son más populares y se venden con el propósito de reducir una talla. Estas cremas no pueden deshacer la grasa de tu cuerpo, ni son capaces de hacerte perder centímetros. Recuerda que la formación y la eliminación de la grasa del cuerpo es un proceso interno de tu metabolismo y no depende de unos factores externos como un jabón, un gel o una crema.

Parches adelgazantes

La publicidad promete que estos parches eliminan el hambre mientras queman la grasa. Se trata de parches parecidos a los que se usan para dejar de fumar. Un anuncio en concreto promete que los parches sueltan «unas sustancias reguladoras del peso, aumentan el metabolismo y queman la grasa». Si esto fuera cierto, el fabricante ganaría el Nobel de Medicina.

Hace tiempo leí en titulares que un grupo de investigadores habían ideado artilugios para adelgazar. Entre los productos que más me llamó la atención había una píldora y un aerosol nasal para quitar el apetito y unos aparatos que dan descargas contra el hambre.

Un aerosol nasal, que supuestamente bloquearía el olfato y el gusto, lo que, según el fabricante, llevaría a los obesos a comer menos. La tesis del aerosol es bastante ridícula: los que tienen una disfunción en sus sentidos del olfato y del gusto comen menos. La conclusión es que hay que quitar el sabor y el olor artificialmente a las comidas de los obesos para ayudarles a adelgazar.

Esta es la propuesta: echarte un aerosol cada vez que quieres comer chocolate, pasteles o cualquier otra cosa que te engorda. Imagínate: tienes ganas de comer una tarta de chocolate, pero sacas el aerosol, te lo echas un par de veces en cada fosa nasal, esperas unos minutos para que la droga haga su efecto y luego comes la tarta con la esperanza de que no te guste. Pero las mujeres que están luchando contra el sobrepeso, a menudo comen sin darse cuenta del sabor de los alimentos. A veces comen hasta cosas que no les gustan.

Otro tratamiento consiste en una píldora que promete desconectar los circuitos cerebrales relacionados con el apetito.

—¡Qué curioso! —exclamó Julia.

—El cerebro humano es un órgano muy complejo. Los expertos lamentan que desconocemos su funcionamiento del todo. ¿Cómo puede una píldora desconectar los circuitos del apetito cuando los especialistas declaran la falta de conocimiento suficiente sobre el cerebro humano? Suponiendo que haya un medicamento que sea capaz de encontrar los circuitos que controlan el apetito y lo apaguen, la mayoría de las mujeres gordas comen aunque no tengan apetito.

Otro artilugio es una especie de marcapasos estomacal que funciona con pilas. Este mecanismo se supone que hace contraer el estómago del obeso. El cerebro recibe esta señal de saciedad y el obeso deja de comer. Esta solución es parecida a la anterior.

Otro es un chisme para paralizar el estomago a través de descargas eléctricas. De esta forma, el aparato pretende solucionar el problema desde un punto de vista fisiológico.

La industria farmacéutica ha estimulado la medicalización de la obesidad. En vez de llamar a alguien «una persona glotona», ahora la etiqueta médica es «el paciente sufre de un problema de apetito hiperactivo». El mercado de medicamentos antiobesidad es sumamente lucrativo. Las entidades médicas dedicadas a la lucha contra la obesidad están influenciadas por las compañías farmacéuticas porque reciben suculentas financiaciones.

Puedes imaginar la pérdida de dinero que supondría para la industria de adelgazamiento si las mujeres dejaran de recurrir a dietas, hierbas medicinales, pastillas, cirugía, cremas, alimentos *light,* etc. Cada uno de estos productos es una industria aparte que se beneficia precisamente por la ineficacia de estos productos. Si una crema anticelulitis funcionara, ya no venderían otras cremas. La industria no vende cremas sino la esperanza de que un día podrías lucir piernas como una top model.

—¿Y si la obesidad no fuera una enfermedad fisiológica sino un problema emocional? Entonces todas estas soluciones serían inadecuadas. Eso sí, las consecuencias de la obesidad son enfermedades cardiovasculares, respiratorias, endocrinas y digestivas. Parece que todos los inventos «novedosos» son en realidad «más de lo mismo». Si alguno de estos «chismes» o fármacos tuviera una eficacia a largo plazo ya no deberíamos ver a personas con sobrepeso. Pero la realidad es que cada año hay más obesos.

—Actualmente hay una dieta para cada gusto. Estas dietas prohíben una lista de alimentos mientras que permiten comer una serie de alimentos selectos. Algunos ejemplos de estas dietas son aquellas que te permiten de comer solo hidratos de carbono o solo proteínas. Hay algunas de estas dietas que están basadas en un solo alimento. La dieta de la alcachofa, la del pomelo o la de espaguetis, son ejemplos de estas dietas donde te privas de todos los demás alimentos durante unas semanas. Es obvio que el cuerpo sufre una falta de minerales y vitaminas necesarias para el funcionamiento del organismo. Las dietas de un solo alimento son las más prejudiciales para el cuerpo porque puedes sufrir problemas digestivos, ya que interfieren con tu ritmo normal.

El cuerpo humano está programado para sobrevivir en condiciones extremas. Uno de los mecanismos que le permite sobrevivir es su capacidad de ahorrar calorías en forma de células grasas para asegurar una fuente de energía para el funcionamiento de los órganos vitales durante períodos de escasez.

El placer tiene poco que ver con la razón. La parte primitiva de nuestro cerebro, el sistema límbico, es el responsable de los instintos y las emociones. Todos buscan lo agradable (el placer) y evitan lo desagradable (el dolor).

De hecho, cuando se decide hacer una dieta, se opta por realizar un esfuerzo de voluntad, que es un aspecto racional, sin tener en cuenta nuestros instintos primitivos. Estos deben ser gestionados sabiamente, no reprimidos. De lo contrario, de la lucha entre la voluntad e instinto pueden emerger desequilibrios como la incapacidad personal.

La fisiología del cuerpo humano ilustra por qué las dietas no funcionan a largo plazo. La clave está en nuestro siempre cambiante metabolismo. Si comemos menos, nuestro metabolismo se ralentiza. En cuanto reducimos la ingesta de alimentos, nuestro cuerpo quema calorías más despacio para ahorrar energía. Esta es la estrategia del cuerpo para garantizar la supervivencia en tiempos de escasez de alimentos.

Las dietas ayudan a perder peso al principio, pero nuestro cuerpo se acabará autorregulando para quemar cada vez menos calorías. El resultado de este círculo vicioso es la pérdida de tejido muscular y muy poca grasa. Cuando nos cansamos o nos aburrimos abandonamos la dieta, nuestro cuerpo se reajusta a la nueva situación y almacena más grasa.

Este proceso es responsable de que a menudo, después de una dieta, recuperemos el peso perdido, y habitualmente aún más.

Las personas que frecuentemente hacen dieta alteran su sistema metabólico y químico de tal forma que su salud peligra. Las dietas, por lo tanto, se convierten en una trampa que debemos evitar.

—Pero todos sabemos que cuanto menos comes, más adelgazas —subrayó Julia.

—No siempre. Cuando haces una dieta y te privas de alimentos y calorías, el cuerpo lo considera como un periodo de hambruna. Al inicio empieza a deshacerse de agua, músculos y algo de grasa.

»Cuando se percata de que el periodo de escasez es prolongado, pone en marcha un proceso de adaptación de emergencia para salvaguardar el funcionamiento de los órganos vitales. Este mecanismo de emergencia ralentiza el sistema metabólico. Si alargas la dieta, el cuerpo estará obligado a quemar músculo como combustible. La consecuencia de llevar una dieta supone un aspecto flácido, porque cada vez va disminuyendo la masa muscular.

»Cuando te saltas la dieta vuelves a comer como antes, o quizá más por las ansias que has sufrido. La pérdida de masa muscular, causada por la dieta, ralentiza el metabolismo, ya que son las células musculares las que ayudan a quemar grasas más eficientemente. A este punto, tu metabolismo es más lento que antes, pero estás comiendo más cantidad y, por consiguiente, las calorías extras se convierten en grasa.

Muchas mujeres se convierten en esclavas de dietas porque caen en un círculo vicioso que se alimenta en la creencia de que el problema no reside en la dieta sino en la persona. «Si no me ha funcionado es porque no tengo la fuerza de voluntad suficiente de terminar la dieta.» De esta forma, la mujer busca otra dieta con la esperanza de que el nuevo régimen sea más llevadero.

Además está la controversia entre los expertos. Mientras que un libro aconseja no comer alimentos ricos en hidratos de carbono, otro recomienda los carbohidratos. Hay quienes sugieren consumir carne roja y grasa, pero otros discrepan. Como ves, hay una gran confusión acerca de la mejor manera de adelgazar.

—Los nutricionistas, endocrinos y los entrenadores personales —dijo Julia— coinciden en comer cinco o seis comidas pequeñas al día.

—Este consejo —contestó Marga— es apropiado para una persona que no tiene problema de sobrepeso. Pero una persona que ha perdido el control, comerá seis veces en grandes cantidades.

—Mi abuela solía decir —continuó Julia— que su secreto para cuidarse era porque creía en el dicho famoso que dice «desayuna como un rey, almuerza como un príncipe y cena como un mendigo».

—Curiosamente, un estudio confirmó la validez de este dicho popular. Por lo tanto, tres veces al día es la mejor manera para empezar. Una vez que hayas recuperado el control sobre la comida, entonces puedes reducir la cantidad de cada comida y dividirla en cinco o seis veces al día.

—Por lo que me has explicado, hacer dieta no es la solución definitiva. ¿Qué opinas acerca del ejercicio como una medida para bajar de peso? —indagó Julia.

—El ejercicio no adelgaza.

Julia se sentó en el borde del sofá e hizo un gesto de sorpresa. Marga soltó una carcajada al ver la cara de su interlocutora.

—Déjame que te lo explique. Hagamos un cálculo matemático: imagina que haces *footing* todos los días y quemas 7 600 calorías. Esto quiere decir que gastas 1 085 calorías al día. Sabemos que un kilo de grasa equivale a 7 600 calorías. ¿Significa que vamos a adelgazar un kilo cada semana que hacemos *footing*? ¿Y vamos a seguir adelgazando a este ritmo durante todo el tiempo que seguimos con el ejercicio diario?

»Un equipo de investigadores finlandeses examinó miles de estudios realizados acerca del ejercicio y la pérdida de peso. Los investigadores miraron varios estudios sobre personas que habían adelgazado con éxito y estaban en la fase de mantenimiento. Han descubierto que todos habían recuperado el peso perdido.

—¡Vaya! ¿Por qué?

—Los estudios demuestran que el ejercicio estimula el apetito.

—Pero la gente va al gimnasio y se afana por adelgazar —subrayó Julia en defensa del ejercicio.

—Todas las personas que declaran que han adelgazado gracias al ejercicio no mencionan que han cambiado sus hábitos alimenticios también. La clave está en mantener la motivación para seguir estas nuevas pautas saludables.

Esto no quiere decir que no haya buenas razones para hacer deporte. El cuerpo humano está hecho para moverse, pero el ejercicio físico, como lo practican la mayoría de las mujeres, no adelgaza.

—¡Vaya! —dijo Julia—. Parece que todos los esfuerzos habituales de las mujeres para adelgazar no funcionan.

—Déjame que te diga la tipología de las mujeres que luchan contra la báscula. Naturalmente es una simplificación. Las mujeres somos demasiado complejas para caber en tres categorías.

—Muy bien. Cuéntame —dijo Julia y dejó su cuerpo hundirse en el sofá.

—Los tres grupos son: la gorda indulgente, la fanática delgada y la mujer yo-yo.

Julia levantó una ceja y sonrió.

—Lo sé, no soy políticamente correcta —se defendió Marga—, pero digo las cosas como son. A mí no me van los eufemismos.

—Me gusta —la tranquilizó Julia—. Hablas sin pelos en la lengua.

—La *gorda complaciente* —expuso la antropóloga— ha perdido la batalla contra su peso y, lo más importante, ha perdido su ilusión y motivación para adelgazar. Después de años de lucha continua con su peso sin éxito, ha elegido pasar de contar calorías a disfrutar de los placeres de la vida.

—El buen yantar —dijo Julia.

—En realidad, la gorda indulgente es una ex especialista en dietas que después de innumerables frustraciones ha tirado la toalla. Te dice que la vida está hecha para disfrutar y que es de las pocas mujeres que disfruta comiendo sin remordimiento y que no hay que reprimir los placeres.

Se considera una buena comedora y bebedora. Llama a su gula sin límite «el arte del buen vivir». En el pasado ha liberado una lucha feroz con sus kilos. Ha bajado y subido de peso innumerables veces. Sabe exactamente cómo adelgazar: prohibirse todas las cosas ricas en azúcar y grasa. Pero al cabo de unas semanas o meses, algo saltaba en su cerebro y se daba atracones. Después de años de sufrimiento se apunta al club de las gordas felices. Sí señor, ella está orgullosa de ser gorda. La reconoces porque es el centro de atención en las fiestas. Es la que ríe más alto y hace reír a todo el mundo.

Cuando su médico le llama la atención de los peligros de su sobrepeso, tacha la advertencia de exagerada. Piensa para sí misma: «Un par de kilos de más no han matado a nadie». Dice que tiene los huesos grandes y hay que escuchar al cuerpo. Y su cuerpo pide comida a todas horas.

Marga hizo una pausa. Julia, que hasta ahora había reprimido su risa, explotó en una carcajada que contagió a su interlocutora.

—Me río —se defendió Julia— porque hay mucha verdad en lo que dices. ¡Continúa!

—Al otro extremo —siguió Marga— de la gorda indulgente está la *fanática delgada*. La puedes reconocer porque te dirá cosas como: «Yo soy afortunada. Como todo lo que me da la gana y no engordo», o te suelta un comentario indirecto, aparentemente humilde como: «Hay que buscar el equilibrio entre disfrutar de los placeres de la vida y cuidarse».

Intenta proyectar una imagen de mujer estable, pero en realidad vive una vida amarga. Sufre dolores cervicales y jaquecas porque está constantemente tensa. A menudo su voz es áspera, chillona y estrepitosa. Tiene las extremidades frías con manchas de color rojizo.

—¿No son estos síntomas de pasar hambre? —preguntó Julia.

—Efectivamente. La fanática está constantemente en guardia. Durante una fiesta, cuando la gente insiste en que pruebe un trozo de tarta, inmediatamente su mente hábil y calculadora computa las calorías exactas del trozo prohibido y su equivalente en gasto calórico en el gimnasio. Y nunca cede a la presión ajena.

En el gimnasio la reconoces porque es la única mujer que suda. Se mete en la clase de aerobic e inmediatamente después monta la bicicleta estática. Procura añadir 15 minutos extra a lo que le manda el monitor. Ella es capaz de infligirse todos los castigos posibles para quemar cien calorías de más.

Tiene una fuerza de voluntad férrea. Aunque le cueste un dolor de cabeza, es capaz de reprimir la tentación de comer chocolate. Sermonea sobre la nutrición y la comida sana a su familia y a sus amigas.

La fanática delgada tiene solo dos opciones: seguir renunciando a los placeres de la comida y sufrir la amargura que le acarrea su delgadez o tirar la toalla e unirse al club de las gordas indulgentes.

—Conozco a varias amigas que entrarían en esta categoría —comentó Julia—. ¿Y el tercer grupo?

—La *mujer yo-yo* es especialista en dietas. Está muy informada acerca de la nutrición. Mira las etiquetas y cuenta las calorías. Su nevera y su cocina están llenas de productos *light*. Ha realizado prácticamente todas las dietas y ha adelgazado, pero siempre vuelve a engordar.

Vive un círculo viciosos popularmente conocido como el «efecto yo-yo». En los últimos años ha bajado y subido de peso centenares de kilos. Nunca pierde su ilusión porque está en la búsqueda de la dieta ideal: la que coincida con su metabolismo y su personalidad. Por consiguiente, ha leído todos los libros de dietas y dispone de un arsenal de recetas adelgazantes.

Empieza una dieta nueva con ganas. La oyes decir a su marido o a sus amigas: «Ya verás como con esta dieta adelgazo». Ha probado dietas, gimnasio, acupuntura, medicamentos, hierbas, batidos, pastillas para derretir la grasa corporal, masajes anticelulíticos y una variedad de chismes para adelgazar que cogen polvo en algún rincón del garaje o el trastero.

Se culpa a sí misma por su falta de fuerza de voluntad. La reconoces porque te dice cosas como: «Yo no como mucho, pero engordo» o «a mí las emociones como la rabia me engordan». Su capacidad de autoengaño no tiene límite. Cuando comete una trasgresión y se salta la dieta dice: «El domingo vamos al monte para quemar las calorías de este trozo de tarta».

Su imagen pública es una mujer trabajadora que se sacrifica por su familia. Según ella, su obesidad es causada por los problemas metabólicos. A menudo come sano delante de los demás y sigue una dieta a rajatabla. Pero, a escondidas, engulle todo lo que la dieta le ha prohibido.

—Me parece interesante —dijo Julia—. Creo que has acertado con tus tres categorías. Perdona la expresión, pero todo esto demuestra que se ha creado una especie de patología con el tema de adelgazar.

—Yo no las culpo —enfatizó la antropóloga—. Las mujeres están bombardeadas con mensajes contradictorios. Por ejemplo, las farmacias, que representan a la autoridad médica, promocionan una arsenal de productos milagrosos que van desde los que acaban con la celulitis hasta los que derriten la grasa o bloquean los azúcares.

Las teletiendas también ofrecen una variedad de soluciones para adelgazar. Con su atracción diabólica, estos programas no te dejan ni cambiar el canal ni apagarlo. Sientes una compulsión morbosa a seguir mirando cómo una actriz de tercera elogia los poderes adelgazantes de un chisme, crema o batidos que devuelven la delgadez a las mujeres.

La actriz, en compañía de una ex atleta, te demuestra que es muy fácil perder peso. Hay una gran gama: cintas vibradoras, saunas portátiles en forma de cinturones para «derretir» la grasa, aparatos de gimnasia, etc.

El más fantástico de todos es aquel complemento alimenticio natural que entra en tu cuerpo y, como un torpedo, busca la grasa, la envuelve en un saco y la manda a tu colon. Hay también una faja mágica para aquéllos que no quieren ni ingerir ni sudar. La faja aplasta los michelines al cuerpo. No podrás respirar, pero tu cuerpo parecerá delgado.

—¿Por qué la gente compra estas cosas si realmente no funcionan y son una pérdida de tiempo y dinero?

—Desafortunadamente, cada día nace un incauto. Existen también las clínicas de lujo que cobran hasta 500 euros la noche para sus tratamientos antiobesidad. Los nombres de estas técnicas estéticas y adelgazantes suenan muy científicos: el drenaje linfático, que consiste en numerosas sesiones de masajes; la mesoterapia, que consiste en infiltraciones de medicamentos en zonas con celulitis; la electroestimulación que transmite impulsos eléctricos en zonas concretas del cuerpo.

—Hay quienes creen en la cirugía como su salvación —dijo Julia—. Me refiero a la liposucción.

—En primer lugar, la liposucción elimina ciertas grasas localizadas, pero nunca podrá cambiar la actitud de la persona. Además, es una operación complicada y puede resultar peligrosa. Si tienes mucha flacidez, al sacar la grasa, conseguirás que la piel cuelgue más.

—Entonces, ¿cuál es el mejor método para adelgazar? —indagó Julia.

—Cerrar el pico y mover el culo —contestó Marga.

Las dos soltaron una carcajada. Marga continuó.

—Una vez leí un estudio curioso publicado en la revista *Science*. Los científicos de la Universidad de Carnigie Mellon en Pittsburgh, Estados Unidos, pidieron a un grupo de personas que se imaginaran comiendo grandes cantidades de chocolate y queso. Después de que cada participante hubiera visualizado la tarea mentalmente, los investigadores les presentaron un cuenco lleno de chocolate o queso y les dijeron que comieran. El resultado fue que…

—… que comieron mucho más —interrumpió Julia.

—No, ¡justo el contrario! Los científicos descubrieron que los participantes que se habían imaginado primero comiendo grandes cantidades de dulces o queso en realidad consumían mucho menos de estos alimentos que los otros participantes. El mero hecho de imaginar comer algo satisface una buena parte del ansia.

Marga consultó el reloj de la pared e intentó hablar con seriedad:

—Perdona, se ha hecho tarde. Debo irme a una conferencia. Viene un maestro del monasterio de Shaolin de China para hablar sobre el taoísmo. ¿Por qué no me acompañas?

—No sé. No lo tenía previsto…

—¡Anímate, Julia! —insistió Marga—. Seguro que te gustará.

Julia aceptó y las dos se dirigieron hacia la puerta.

11

El Tercer Paso

Meifen estaba contando al monje su experiencia de las últimas dos semanas. Había disfrutado de las comidas y se había limitado a las tres comidas principales. No había tenido tentaciones. Solo en dos ocasiones se había planteado la duda de comer pasteles entre comidas, pero se había repetido la frase: «Puedo ceder, pero no quiero porque no lo necesito».

Además, era fácil evitar las tentaciones porque ella misma las había incorporado en su dieta. Meifen había escrito todo lo que se le antojaba comer, así que, paradójicamente, pudo librarse de las tentaciones cuando ella misma las había programado.

Otra cosa curiosa era que se dio cuenta de que, en muchas ocasiones, no le apetecía comer ciertas cosas que había escrito. Por ejemplo, cada día tenía apuntado en su diario comer algo dulce, pero no siempre cumplía con su propio deseo. Al parecer, permitirse caer en sus deseos y tentaciones le había permitido ejercer más control.

El Emperador y la Emperatriz estaban convencidos de que tomaba alguna poción o hierbas que le permitían comer todo lo que le gustaba y adelgazar. Nadie podía creer que la princesa Meifen había logrado tener el control sobre la comida. La veían tomarse su tiempo y comer de manera pausada. Habían notado que disfrutaba de lo que comía.

Después de contar cómo estaba gozando de las comidas y que había recuperado la felicidad, pidió al monje el siguiente paso.

—Deseo contaros la historia de dos animales opuestos en sus habilidades. Esta historia os desvelará el tercer y último paso.

En un bosque vivía una liebre muy orgullosa de su velocidad. Por eso, constantemente se burlaba de la lenta tortuga. Un día, la tortuga hizo una proposición absurda a la liebre: «Hagamos una carrera para saber quién de las dos es realmente más rápida». Todos los animales del bosque se rieron de la apuesta de la tortuga, pero la liebre aceptó.

Los animales se reunieron para ver la carrera. Se señaló cuál iba a ser la llegada y, una vez estuvo todo listo, comenzó la competición entre grandes aplausos.

La liebre dejó partir a la tortuga y se quedó burlándose de tan débil y boba contrincante. Luego, empezó a correr veloz como el viento mientras la tortuga iba despacio. Enseguida, la liebre se adelantó muchísimo. Confiada en su capacidad de ganar la carrera, la liebre se tumbó bajo un árbol y ahí se quedó dormida.

Mientras tanto, paso a paso, la tortuga siguió su camino hasta llegar a la meta. Cuando la liebre se despertó, corrió con todas sus fuerzas, pero ya era demasiado tarde: la tortuga había ganado la carrera.

La princesa, que había disfrutado plenamente de la fábula, dijo:

—¿Me estás diciendo que debo tener paciencia?

—Efectivamente —dijo el monje con una sonrisa—. Debéis ir despacio para poder asegurar vuestro éxito. Desde ahora en adelante debéis evitar saltos de liebre y dar pasos de tortuga.

Mi maestro Lao Tse dijo:

> *«El hombre corriente, cuando emprende una cosa, la echa a perder por tener prisa en terminarla».*

—Para consolidar los resultados que habéis obtenido, debéis tener paciencia. Solo de esta manera podéis transformar vuestro cuerpo.

—¿Quieres decir que no engordaré nunca?

—Antes, cuando estábais siguiendo unas pautas estrictas para adelgazar, querías adelgazar con mucha prisa. Os esforzábais por seguir una dieta estricta y os controlábais a diario. Os pesábais cada día. Pero al ver que no bajábais de peso o que un día habíais bajado y al día siguiente habíais subido de peso, os desesperábais. Os sentíais frustrada y creíais que la culpa de no poder adelgazar era porque no controlábais vuestro apetito y las ganas con suficiente intensidad. Pero cuanto más os controlábais, más perdíais el control. Cuanto más intentábais motivaros, más os desmotivábais.

El cuerpo es como una planta compleja. El peso no siempre baja de manera continua ni regular. A veces, el peso puede estabilizarse durante días en un punto determinado. A veces por la retención de agua o por cambios hormonales, especialmente durante la menstruación, el peso varía.

Pesarse a diario es un intento de controlarse rígidamente. Evitar la prisa y dar pasos de tortuga os tranquilizará y probablemente os permita avanzar con rapidez. Esto es paradójico, pero funciona.

Os habéis dado cuenta de que no sirve sacrificarse con una dieta porque no podéis aguantar mucho la escasez de comida. Además, no veis el propósito de absteneros de ciertos alimentos que os gustan si tarde o temprano recuperáis el peso perdido. No os convence la filosofía de negaros algo o prohibiros alguna cosa porque es una lucha diaria contra vos misma.

Hay una característica humana que hace que los esfuerzos fracasen. Me refiero a la predisposición a desear aquello que nos prohibimos. La prohibición siempre genera la obsesión.

La prohibición de ciertos alimentos, en vez de solucionar el problema, genera ansia y compulsión por comer esos alimentos. Las prohibiciones y la sensación de sacrificio generan tentaciones.

Para realizar un régimen hace falta un control rígido para limitar la comida y privarse de los alimentos más apetecibles. Pero nadie puede ejercer un control estricto a largo plazo, de manera que la dieta se convierte en algo insoportable porque interfiere con el instinto más básico del ser humano: la búsqueda del placer.

La naturaleza ha asociado una fuerte sensación placentera a dos instintos básicos: comer y el sexo. Estas dos actividades son imprescindibles para sobrevivir. La especie humana ha podido perpetuarse a lo largo de miles de años gracias a estos dos placeres básicos.

Mi método os ayudó a adelgazar respetando el instinto del placer, evitando el control rígido y la sensación de sacrificio y privación.

Los animales funcionan según sus instintos y comen según sus necesidades. Ellos no tienen la libertad de elegir. Si el animal está lleno, deja de comer. En cambio, los seres humanos pueden comer cuando su cuerpo no lo necesita. No hay un instinto que automáticamente obligue al organismo parar de comer. Hay un regulador pero, muy a menudo, nuestros deseos lo superan.

Desde hace unas semanas habéis recuperado el placer de comer y habéis aprendido cómo ejercer el control sobre la comida. Habéis asimilado que los regímenes no son eficaces. Permitidme que os hable de un experimento que se hizo en tiempos de guerra: un general excéntrico quiso comprobar los efectos de la hambruna y realizó un ensayo perverso con prisioneros de guerra.

—Cuéntamelo —pidió la princesa.

—Uno de los Emperadores de Shang era conocido por su crueldad. Ganaba muchas batallas porque los generales le temían y hacían lo necesario todo para complacerlo. Dicen que el despiadado Emperador había encargado un experimento para averiguar los efectos de hambruna en los soldados. Evitaré contaros los detalles escabrosos que podrían herir la sensibilidad de la princesa. Me limitaré a describir lo esencial de este macabro experimento para ilustrar mi exposición de que privarse de la comida es una manera totalmente errónea de adelgazar.

—Tengo la curiosidad de saber qué pasó —dijo Meifen.

—El experimento consistía en estudiar a treinta y seis jóvenes sanos mientras que reducían la cantidad de comida durante un año. Durante los primeros tres meses comieron de manera normal, mientras que sus conductas, personalidad y hábitos alimenticios estaban bajo observación. Durante los seis meses siguientes, los investigadores les dieron solo la mitad de la cantidad de comida. El resultado fue que perdieron el 25% de su peso corporal. Durante los tres meses posteriores redujeron aún más las cantidades.

Los efectos perversos del experimento no tardaron en llegar. El efecto más dramático fue que todos los participantes empezaron a preocuparse por la comida. Los hombres sufrían falta de concentración. La comida se convirtió en el tema preferido sobre el que hablar, leer y hasta fantasear. Su interés en el sexo disminuyó. Los jóvenes empezaron a «jugar» con su comida. Algunos la robaban para poder consumirla a escondidas. Además, los hombres decían que disfrutaban intensamente al ver a alguien comer u oler la comida.

Aparte de estas peculiaridades, los hombres se dedicaron a coleccionar utensilios de cocina. Casi la mitad de ellos empezaron a interesarse por la cocina. La fascinación era tan intensa que algunos pensaron en cambiar su profesión y convertirse en cocineros profesionales.

Durante los seis meses en los que solo recibieron la mitad de la comida, todos sufrían hambre. Pocos pudieron controlar su apetito. Algunos pudieron seguir la norma de comer la mitad, pero luego se daban atracones seguidos de grandes dosis de arrepentimiento. Uno de ellos comió grandes pasteles con voracidad. Inmediatamente se sintió triste, sufrió nauseas y vomitó. Dijo que se daba asco a sí mismo.

La mayoría decía tener hambre inmediatamente después de una comida copiosa. Durante las horas de descanso, en sus casas comían en grandes cantidades. Algunos engullían demasiado y sufrían nauseas, pero aún así sentían hambre. Otros habían decidido evitar las comidas por miedo a perder el control.

En resumen, los hombres desarrollaron una gran preocupación por la comida, hasta entonces inexistente. Algunos empezaron a darse atracones aun después de que el experimento hubiera terminado.

Además, sufrieron alteraciones emocionales como depresión, cambios bruscos de ánimo, irritabilidad y ansiedad. Dos de ellos tuvieron episodios de locura y uno incluso llegó a cortarse tres dedos. Al principio, todos los hombres eran activos, sanos y alegres, pero después del experimento se convirtieron en hombres tímidos y se sentían inútiles. Además, sufrieron problemas de salud como molestias gastrointestinales, mayor necesidad de dormir, mareo, dolor de cabeza y baja energía.

—Así que al no comer —concluyó Meifen— el cuerpo baja su ritmo y se pierde poco peso.

—Sí, el cuerpo es sabio. La evolución nos ha dotado de un mecanismo para sobrevivir bajo condiciones extremas. Este experimento desafía la noción popular de que el peso se puede alterar con la fuerza de voluntad. Además, nos demuestra que la hambruna no pudo contra la tendencia del cuerpo a mantenerse en el mismo peso.

—¿Al final qué pasó? ¿Pudieron volver a su peso normal?

—Sí, todos fueron enviados a un retiro de rehabilitación en nuestro monasterio. Después de tres meses recuperaron el equilibrio emocional y volvieron con sus familias.

—Vuestro obstáculo principal para adelgazar —subrayó el monje—no era la falta de información, ni de fuerza de voluntad y ni siquiera la ausencia de motivación. Habéis podido adelgazar con éxito porque cambiasteis vuestra manera de ver el problema y cómo afrontarlo. Aunque mis indicaciones eran un poco particulares e iban contra el sentido común, os permitieron adelgazar. Comer de todo os liberó del ansia. Cuando os permitís comer de todo, desaparecen las tentaciones.

—En vez de luchar contra la tentación es mejor evitarla —repuso la princesa.

—La clave no es la dieta en sí, sino el saber utilizar vuestros pensamientos. Una nueva manera de abordar el problema os permitió cumplir y mantener un orden alimenticio equilibrado y flexible que os hizo adelgazar.

El siguiente paso es aplicar la paciencia y la perseverancia. Si os dais prisa para adelgazar os topareis con muchos impedimentos. Como dijo el sabio Lao Tse:

> «*El que proyecta muchas cosas, encuentra muchos obstáculos para realizarlas*».

Con esto quiero decir que a lo largo del camino de la vida hay obstáculos. Cuando os enfrentáis con una dificultad...

—¿... Quieres decir una posible recaída? —interrumpió Meifen.

—Las recaídas son parte del progreso. Las pequeñas derrotas os prepararán para la victoria definitiva. Debéis asumir que habrá días en que os sentiréis derrotada y que todo se ha perdido. Pero esto es un espejismo, como el fantasma que te persigue durante una pesadilla. Basta abrir los ojos para espantar al fantasma.

—Ahora me siento fuerte —dijo Meifen—. Puedo afrontar los obstáculos.

—Cuando sufráis una recaída, recordad que es una parte natural del proceso de cambio y volved a poner en práctica los pasos y los principios que habéis asimilado. Además, haced lo siguiente: incorporar un pequeño cambio en vuestras costumbres.

—¿Te refieres a mis costumbres culinarias?

—No. Os pido que hagáis algo diferente cada día en vuestra rutina. No tiene nada que ver con la comida. Cada día realizad un pequeño cambio en las cosas habituales que hacéis. Por ejemplo, si por la tarde soléis practicar la caligrafía, podéis contemplar el jardín o memorizar poesía. Cada día algo pequeño y cada día algo diferente del día anterior. Procurad que estas cosas sean de vuestro agrado.

Meifen asintió con una sonrisa y dijo con entusiasmo:

—Ven al palacio real. Quiero presentarte al Emperador. Quiero que conozca al hombre sabio que me curó.

—Os lo agradezco, princesa Meifen. Vuestra felicidad ya es mi recompensa. Permitidme desearos buena salud y prosperidad. Como dijo mi maestro: «Retirarse una vez que la meta ha sido alcanzada es el camino de la Naturaleza».

Meifen abrazó al monje y con lágrimas en los ojos le despidió.

—Mi corazón se deleitará si me hacéis una visita al monasterio de Shando.

—Lo haré —le prometió Meifen.

Seguidamente, Meifen montó en su caballo y se dirigió al palacio.

12

El maestro
del Templo de Shaolin

Marga y Julia llegaron al centro cultural donde se habían congregado centenares de personas. Julia notó la presencia de algunos actores, escritores y artistas. El maestro budista llevaba una túnica roja bordada con pequeños dibujos de dragones, un atuendo original del monasterio de Shaolin.

«Cuentan que hace siglos un monje llegó desde India a China para enseñar la sabiduría budista. Después de varios años, su fama llegó a la corte del Emperador, quien ordenó construir un monasterio para difundir el budismo. El templo fue conocido con el nombre de Shaolin.»

El maestro de la sabiduría hablaba de los principios universales de la antigua China. Se lamentaba del exceso de materialismo en la sociedad actual. Argumentaba que los problemas de hoy en día se podrían solucionar mejor aplicando los preceptos de los sabios de la Antigüedad. A menudo, el maestro sugería que los occidentales recurren demasiado a la razón para solucionar los problemas. Según el sabio, la antigua China ofrecía unos principios, estratagemas y conceptos que eran más eficaces que la inteligencia y la lógica habitual.

Al finalizar la charla, Marga se acercó al maestro y le habló en mandarín. El monje, sorprendido por el dominio de la mujer extranjera de su lengua, las invitó a tomar un té y a charlar un rato. Marga no dudó en introducir el tema de interés de su amiga, Julia.

—He leído —dijo el maestro de Shaolin— que en Occidente, cuando la gente decide bajar de peso se esfuerza en hacer una dieta. Se propone sacrificar el placer de comer y privarse de los alimentos más deseados. Pero cuanto más se prohíben, más se obsesionan con lo prohibido.

Estas personas creen que deben tener fuerza de voluntad para conseguirlo. Pero la voluntad no es el factor clave. Además, las dietas son trampas paradójicas: cuanto más intentas no pensar en la comida, más te obsesionas con ella.

—¿Los antiguos sabios —preguntó Marga— dieron algunas pautas para adelgazar?

—Mi abuelo —contestó el maestro— me contó en una ocasión una historia de la antigua China. Se trataba de una princesa gordita que, después de una lucha intensa y poco fructífera, decidió seguir los consejos de un monje budista.

—¿Cuáles eran estos consejos? —preguntó Julia con impaciencia.

—El entrenamiento nos mantiene jóvenes el cuerpo y la mente. De modo que me acuerdo de todo lo que me contó mi abuelo.

Julia estaba en silencio, pero expectante.

—Los consejos del monje fueron sencillos, pero eficaces. Y aquí reside la brillantez de la propuesta de aquel monje budista. A menudo la gente busca las soluciones más complicadas para superar un problema. Toma nota, joven periodista:

1. En primer lugar, hay que dejarse llevar como el agua que fluye en el lecho del río hacia el mar. Debe entregarse al deseo. Comer es un placer. Además de aportar al organismo los nutrientes y la energía, comer debe ser una fuente de placer. Debemos asegurarnos que la relación emocional con la comida sea únicamente amistosa y postiva.

2. El segundo paso es comer única y exclusivamente tres veces al día. Un hábito alimentario saludable debe ser flexible. Un régimen restrictivo y rígido convierte el comer en una fuente de sufrimiento, sacrificio y escasez. Por lo tanto, no debe esforzarse para no comer.

3. El tercer y último paso consiste en avanzar despacio y procurar siempre disfrutar de los placeres de la comida. Comer es un instinto básico. La razón y la fuerza de voluntad no pueden vencer el impulso visceral del organismo para saciar su hambre.

—¿Ya está? —dijo Julia con incredulidad—. ¿Estos pasos sencillos adelgazan?

—No dejes que la engañosa sencillez de estos tres pasos te impida ver su eficacia. Vuestra sociedad está basada en utilizar la ciencia para solucionar problemas. Desgraciadamente, vuestros científicos y especialmente vuestros médicos han olvidado que ayudar a las personas es un arte. Consideráis y tratáis casi todos los problemas como enfermedades.

—Y para todas las enfermedades —añadió Julia— hemos encontrado un medicamento.

—Efectivamente. Os complicáis tanto con las cosas sencillas que no llegáis a disfrutar de ellas.

13

Doce meses después

Pasaron doce meses. El monje estaba cuidando la huerta del monasterio cuando le avisaron de que tenía una visita importante. Luan Wei se apresuró hacia la puerta. Ahí estaba una joven esbelta con una cara hermosa como una flor. Era la princesa Meifen que lo esperaba. El monje esbozó una sonrisa.

La princesa se dio una vuelta como una bailarina, demostrando su cuerpo ágil y esbelto.

—¡Mira qué cuerpo!

Los dos soltaron una carcajada sonora que hizo a los guardias y los otros monjes presentes sonrojarse.

Meifen cogió la mano del monje y se sentaron.

—Querida princesa —dijo el monje—. ¡Qué alegría volver a veros!

—Es un gran placer volver a verte —contestó la princesa.

Meifen le contó cómo siguió los consejos del monje y como así había adelgazado. Estaba muy contenta porque no le había costado y, después de un año, mantenía su peso ideal. No solo había recuperado su salud sino también la autoestima y la confianza en sí misma. Por fin se había casado, según la tradición, y estaba feliz.

Después de enseñarle el monasterio, el monje invitó a la princesa a comer con ellos. El almuerzo era delicioso y la princesa le pidió algunas recetas especiales del monasterio.

Epílogo

La trampa de las dietas reside en sus éxitos. La mayoría de las personas consiguen adelgazar con las primeras dietas. Deben emplear la fuerza de voluntad para soportar la sensación de sacrificio cuando reprimen el deseo de comer los alimentos prohibidos. Pero ven con gran frustración cómo vuelven a engordar una vez que bajan la guardia. Aunque las dietas restrictivas parezcan la mas lógicas, el resultado suele ser pésimo. Las dietas pueden ayudar a bajar de peso pero no son eficaces como una solución a largo plazo. Ante una disminución calórica, el organismo desencadena un mecanismo de supervivencia que ralentiza el metabolismo para poder vivir con menos calorías. El resultado es que, a la larga, una dieta hipocalórica repetitiva apenas tendrá resultado y, cuando se abandona, el efecto de rebote puede superar el peso inicial.

Arthur Rowshan propone un método sencillo y directo para solucionar este problema que se ha convertido en una epidemia a nivel mundial. En vez de los habituales dietas, Rowshan enseña cómo recuperar el control sobre la alimentación. Las últimas investigaciones sobre el cerebro han desvelado que la parte emocional es más poderosa que la parte racional. En el reino animal las decisiones se toman sobre la base de una carga emocional. Los humanos no somos tan distintos.

Por lo tanto, Rowshan evita estrategias racionales que son difíciles de mantener y ofrece un sendero fácil de recorrer. A primera vista su método parece ilógico, pero todas las mujeres que han pasado por su consulta se sorprenden de la facilidad con la que comienzan a superar las barreras emocionales que les impiden adelgazar y estar en forma. El método Rowshan para adelgazar consigue el objetivo sin renunciar al placer de comer.

Arthur Rowshan realizó sus estudios superiores en Estados Unidos y Europa. Estudió psicología en Canadá y en la Universidad de Deusto de Bilbao. Es experto en hipnosis y posee un Máster por la Universidad de Cantabria. Es el creador del «Método Rowshan para dejar de fumar y adelgazar». Se le conoce por sus métodos naturales para resolver problemas con el mínimo esfuerzo y en tiempos breves. Es autor de varios libros traducidos a cinco idiomas. Lleva diez años perfeccionando su método que ayuda a las personas a adelgazar de manera fácil y definitiva.

Avalado por más de quince años de experiencia profesional, el método Rowshan proporcionará a toda mujer los recursos emocionales necesarios para adelgazar de manera definitiva. Recomiendo este libro a todas las mujeres que tengan el deseo genuino de mejorar su salud y su aspecto físico sin recurrir a la fuerza de voluntad, sin sufrir y sin renunciar a los alimentos preferidos.

Desde el punto de vista fisiológico, la reserva de grasa en la mujer cumple unas funciones diferentes a las del hombre. Debemos entender que el organismo humano es el resultado de una evolución de muchos miles de años fruto de la interacción de nuestra genética con el medio ambiente en que nos hemos desarrollado.

El objetivo esencial de todos los seres vivos es la reproducción de la especie, por encima, incluso, de la supervivencia como ser individual. Existen muchos ejemplos extremos en diferentes especies en las que, una vez que se ha completado el ciclo reproductivo, el individuo muere.

En la especie humana el porcentaje graso, su distribución y el tipo macroscópico de la misma, varía entre sexos. La mujer utiliza la reserva grasa para varios cometidos:

— Una distribución grasa que contornea el organismo para estimular el apareamiento con el hombre pero que a la vez no impide la evolución del feto (grasa subcutánea que habitualmente respeta más la zona abdominal para que se pueda desarrollar el feto).
— Una reserva grasa que le sirve como «almacén» energético por si queda embarazada.
— Un tipo de grasa más resistente a la falta de alimentación y al movimiento, para asegurar la reserva energética del feto.

Para dificultar la reducción de grasa en la mujer, el organismo ha previsto un ardid: disminuir el flujo de sangre en las zonas de almacén.

Sabemos que en un tejido con buena circulación es difícil que se acumule la grasa porque le llega un buen aporte de oxígeno y por tanto la grasa se pierde por «oxidación» o, como se denomina vulgarmente, «se quema». Con poca circulación hay poca oxigenación y en un estudio que realicé con termografía de infrarrojos, se observa que las zonas más frías, por tanto con menos circulación, son las más resistentes a la pérdida de la grasa. Por eso las mujeres habitualmente tienen unos glúteos y cartucheras más frías que el hombre, y entre mujeres, quien tenga el tejido más frío a temperatura normal, tendrá más resistencia a bajar la grasa subcutánea.

El resultado de todos estos factores es que la mujer tiene mayor resistencia a bajar la grasa corporal que el hombre y, en consecuencia, se observa una frecuencia más alta de abandono de la dieta en la mujer que en el hombre. Por ello, saber controlar la alimentación sin que cree desequilibrios emocionales es fundamental para conseguir objetivos.

Una vez que las lectoras hayan leído el libro y seguido los pasos descritos en el relato, las invito a poner en práctica las siguientes recomendaciones para reducir la grasa:

— No utilizar alimentos muy ricos en calorías por la noche, no se van a aprovechar y pasarán a la reserva grasa.

— Tener en cuenta que nuestro organismo se rige por un balance calórico. La alimentación es una entrada de calorías y perdemos solo la cantidad necesaria para mantener el organismo vivo (metabolismo basal) más la que utilizamos para realizar un trabajo físico muscular.

— Siempre debemos compensar las calorías que tomamos respecto a las que vamos a quemar. Debemos entenderlo como el balance de una economía familiar: tanto ingreso, tanto gasto. Si ingreso más que lo que gasto, voy a aumentar de peso, si hago lo contrario bajaré de peso. Para mantenerse hay que saber que si como más, debo gastar más.

— Vigilar los fines de semana. Muchas personas, lo que pierden de peso durante la semana lo ganan el fin de semana. Así nunca se llega a ninguna parte. Es preciso pesarse el sábado por la mañana y el lunes por la mañana para saber si sabemos compensar los excesos del fin de semana. Saber compensar los excesos es clave para mantener una composición corporal estable.

— La actividad física es imprescindible para aumentar el gasto calórico pero también se aconseja porque tiene muchos valores añadidos: mejorar la función del organismo, disminuir el riesgo de enfermedades y como sistema de remodelar la silueta y mejorar articulaciones y musculatura general.

— No vale simplemente caminar. Se debe realizar una actividad física de mediana intensidad (ligera dificultad para hablar) con puntas de alta intensidad donde se secretaran neurotransmisores, serotonina y hormonas (entre ellas la GH u hormona de la juventud), que facilitarán el cambio de composición corporal y la pérdida de la grasa.

JORDI IBÁÑEZ
Doctor en Medicina y Especialista en Nutrición
y Ejercicio aplicado a la Salud